Petronio
El Satiricón

CLASICOS EJEMPLARES

PETRONIO

EL
SATIRICÓN

libros Río Nuevo

colección CLÁSICOS EJEMPLARES
director: Alfredo Llorente Díez

PETRONIO. El Satiricón.
Traducción: Jacinto León-Ignacio
Cubierta: Joaquín Castañer + Equipo editorial
© EDICIONES 29, 1970

La presente edición es propiedad de
EDICIONES 29 - Mandri, 41
08022 Barcelona - Tel. (93) 212 38 36 - Fax (93) 417 65 05

Primera edición en esta colección: enero, 1997

Printed in Spain
I.S.B.N.: 84-7175-416-9
D.L.: B. 39.601-1996

Impreso en España por Liberduplex, S.L.
Constitución, 19
08014 Barcelona

Ediciones 29, registro editorial n.º 688

Prólogo

Roma, a varios siglos vista

En la inmensa e importantísima producción literaria griega y romana, de la que aún vivimos, apenas se encuentran novelistas.

Quizá se deba a que una abrumadora mayoría de analfabetos hacía mucho más asequible el teatro, al que basta con escuchar, que la narración escrita, que debe leerse. Otro tanto ocurría con la poesía, que los rapsodas vagabundos recitaban en público.

El hecho es que en Grecia se encuentran pocos ejemplos de novela, aparte de Longo, y que los romanos sólo produjeron a Apuleyo, a algún otro y a Petronio, cuya obra les ofrecemos.

Su título original es P. A. Satiricon libri, o sea «Libro de las Sátiras», aunque se se ha popularizado simplemente con el que figura en las tapas del presente volumen. Las iniciales que lo preceden corresponden a Petronio Arbiter, su autor.

Parece ser que en su época, la novela gozó de bastante éxito popular, pues tanto Tácito como Quintiliano la comentan en sus manuscritos, aunque resulta aparente que ninguno de los dos la conocía y que sólo hablaban de oídas. Es muy probable que no le concediesen valor literario puesto que su estilo y su forma chocaban con todos los conceptos en boga. Debieron juzgarla una especie de Joaquín Belda de entonces.

Sin embargo, El Satiricón no se perdió y se conservaron ejemplares en plena Edad Media, si bien los ocultaron celosamente, tanto por el tema como por ser obra de un pagano.

Resulta bien claro, no obstante, que se leía en los círculos más cerrados de la cultura, pues hay varias referencias en distintos escritos, así como citas del texto, aunque siempre en latín. En el siglo XII, por ejemplo, el obispo de Chartres lo menciona en varias ocasiones.

Existe una edición censurada de mediados del XVI que pasó bastante desapercibida y, en conjunto, la obra siguió ignorada del gran público, hasta el punto de que numerosos eruditos sólo conocían su título, pero la consideraban perdida.

Por este motivo, se desató tanto escándalo y tanta polémica cuando en 1664 apareció la primera edición de Pierre Petit. De momento, le acusaron de haberla falsificado para obtener un éxito, pese a la merecida fama de que ya gozaba. Petit explicó haber encontrado el manuscrito en Dalmacia, durante un viaje, e invertido años en su traducción. Advirtió también que, a todas luces, su descubrimiento eran simples fragmentos del original, pero ofrecía tal número de pruebas que hasta los más incrédulos debieron admitir su autenticidad.

Poco después, El Satiricón se tradujo a varios idiomas, incluido el nuestro, con tanto éxito, que lo han convertido en uno de los grandes best sellers de la historia. Hubo quienes pretendieron sacar partido de que la obra estuviera incompleta, escribiéndola a su gusto. Fue fácil, no obstante, desenmascararles y la primera edición es la que ha servido de base a cuantas después se han publicado.

Aclarada la autenticidad de los manuscritos, se planteó el problema de quién podía ser Petronio Arbiter, que figuraba como su autor.

Ante todo, fue preciso establecer la fecha en que la escribieron. Afortunadamente, hay en la novela suficientes referencias contemporáneas para poder fijarla entre los reinados de Calígula y de Nerón. Así, por ejemplo, uno de los poemas que se incluyen en la obra, el que Eumolpo compone sobre la guerra de Troya, se inspira en la Troica de Nerón, quien gobernó pocos años por desgracia para los folletinistas del siglo pasado.

Es de suponer, no obstante, que el autor no trabajaría a marchas forzadas, como si debiera concurrir a un premio literario, y que dedicó años a esta tarea. No olvidemos que lo que ahora se conoce no son más que fragmentos del original y que, por las referencias a hechos anteriores que se encuentran en el texto así como por los comentarios de la época, se calcula que en un principio se componía de veinte tomos.

Por tanto, muy bien pudo comenzarla mientras reinaba Calígula, seguirla con Nerón y no ver la luz pública hasta el siguiente. De no tratar hechos contemporáneos, de todos conocidos, no valía la pena mencionar tantos nombres.

Sin embargo, estas fechas no aclaraban gran cosa, pues, por entonces, había unos doce Petronios. Su número se redujo un poco a causa del Arbiter. De éstos, sólo quedaban dos.

Durante mucho tiempo se creyó que se trataba de Cayo Petronio Turpilano, del que habla Tácito en sus escritos. Fue un cortesano aficionado a las artes, que se ganó por completo el favor de Nerón, tanto por sus vicios como por su ingenio y su elegancia. Es decir, una especie de Oscar Wilde con toga. De él, dice Tácito que se pasaba el día durmiendo y la noche de orgía, lo que le hizo alcanzar la cúspide de la fama y el poderío. Nada se hacía en palacio, y, como consecuencia, entre la nobleza, sin el visto bueno de Petronio, por lo que le llamaban arbiter elegantorum: o sea, árbitro de la elegancia. Petronio, sin duda, fue demasiado lejos y Nerón acabó aceptando como buenas las acusaciones de Tigelino, su jefe de pretorianos, mandándole detener. Petronio conocía bien a su amo y no quiso exponerse al tormento, por lo que se suicidó en pleno banquete. Pero lo hizo con lentitud, de manera que pudiese escribir, con nombres y detalles, una relación de las juergas del emperador.

Tanto el apodo de arbiter elegantorum, como sus inclinaciones artísticas, convencieron a muchos de que este Petronio era el autor de El Satiricón. Además, el personaje resultaba tan novelesco que Enrique Sienkiewicz le hizo aparecer en Quo Vadis?

Llegaron incluso a suponer que la crónica de los devaneos de Nerón, que le envió a modo de despedida, era el libro que ahora nos ocupa.

Es difícil imaginar, no obstante, que, mientras se le escapaba la sangre por las venas cortadas, le quedasen ánimos para escribir una obra en veinte tomos, aparte de que, como ya he dicho, el arbiter es aquí un apodo que ni siquiera se incluye completo en el encabezamiento.

De ser éste el autor de El Satiricón, *lo escribiría años antes de su muerte.*

El otro candidato a la paternidad de la obra es un oscuro poeta llamado Tito Petronio Arbiter, natural de Marsella, que vivió en tiempos de Nerón y de Domiciano.

En favor de éste, se alegan los indudables conocimientos literarios que se exponen en la novela, que delatan más al intelectual preocupado por su profesión, que al cortesano cínico y frívolo que pretende distraerse.

Además, como se verá, se trata de un trabajo demasiado concienzudo para no ser obra de un profesional, aunque, excepcionalmente, pueda darse el caso a la inversa.

Por otra parte, la acción no se desarrolla en Roma, sino en las provincias y casi ninguno de los hombres son latinos. Parece como si el autor hubiese tenido interés en mostrarnos la realidad del imperio, que no conocían en la capital, donde, según costumbre, se preocupaban tan sólo por el área comprendida entre las siete colinas.

Éste era el mundo del Petronio marsellés.

Por desgracia, según se ha visto, no se ha aclarado quién en realidad es el autor de El Satiricón y *la polémica puede durar mucho.* Sea quien fuere, escribió una de las grandes obras de la literatura mundial.

La novela no es más que el relato de los viajes de Eumolpo y de su criado Giton por distintas localidades. Los incidentes, a veces no relacionados entre sí, sus aventuras y la gente a la que encuentran constituyen el texto de El Satiricón, *que carece de un argumento seguido, tal como ahora se estila.*

En realidad, podríamos decir que son infinidad de relatos breves, que se unen a través de los dos protagonistas.

Esta técnica de novelar, influyó muchos siglos después en los libros de caballería, así como en la picaresca e incluso en el Quijote.

A través de todas estas incidencias el autor supo darnos una extraordinaria panorámica de la vida en las provincias romanas, aunque teñida de ironía.

Este propósito queda muy claro en el título de la obra, Satiricón, pero, sin embargo, difiere un poco de lo que entonces se tenía por tal.

Las sátiras, como las fábulas de Iriarte y Samaniego, encerraban siempre una moraleja, un afán aleccionador, que se desprendiese de lo relatado o que el autor situaba al final, para que todos tomaran nota.

Petronio, no. No se encuentra tal propósito en la obra y nada hace suponer que existiera en los fragmentos que nos faltan. Petronio se limitó a narrar lo que veía, sin más preocupaciones.

No deja de sorprender ese contraste con la literatura de la época, en especial por falta de antecedentes, ya que todo es siempre consecuencia de algo anterior.

Petronio tomó ejemplo de los mimos, que tenían carta blanca para ridiculizar al imperio, de arriba abajo.

Sus representaciones se hacían en las plazas públicas o en los palacios de los nobles y durante los reinados aludidos gozaban de una extraordinaria popularidad, superando a las tragedias que iban de capa caída. Los mimos improvisaban el diálogo sobre la marcha, empleando el léxico del pueblo bajo, incluso los dialectos. Trataban siempre de asuntos cotidianos, en los que mezclaban la ironía con las bromas más groseras y explotando las escenas escabrosas, siempre de éxito fácil.

En cierto modo, era un intento de realismo, al abandonar el tono épico de las tragedias para centrarse en temas corrientes, tal como en Grecia lo hiciera Aristófanes. Y ésa fue la pauta que siguió Petronio.

Existe una enorme diferencia entre su estilo y el de los demás literatos contemporáneos. Los poetas, pese a su indudable genio, resultan engolados y, en las tragedias, los diálogos tienen un arte enfático en extremo.

Por ese motivo, los autores clásicos en general han quedado reducidos a la categoría de escritores minoritarios, algo muy poco halagador.

Petronio, por el contrario, sigue al alcance de todo el mundo. Se expresa en un tono coloquial, que justifica con el empleo de la prime-

ra persona, y que nos da la sensación de que alguien nos lo está contando de viva voz.

No debe olvidarse, desde luego, que la novela nos ha llegado a través de numerosos copistas, pues faltaban siglos para Gutenberg, y que éstos, a veces involuntariamente, equivocaban una palabra o, por comodidad incluso, la cambiaban, que era el equivalente a las actuales erratas de imprenta. Otras veces se tomaban las mismas libertades que los traductores, contra los que ya despotricaba Cervantes, y que hacían el libro a su gusto.

Sin embargo, pese a tales intervenciones, queda cuanto el autor le dio en gracia y espontaneidad.

Por ese motivo se puede leer hoy día con el mismo interés que en su época, pues nada ha perdido de su frescura. Creemos encontrarnos ante un autor de nuestros días, que sabe conseguir esa difícil sencillez que parece no preocuparse del estilo.

Aparte de la satisfacción que se obtiene de su lectura, nos permite conocer con claridad cómo era la vida en el imperio romano, sin las deformaciones habituales.

Cuando juzgamos el pasado, no podemos imaginar al hombre más que en actitudes históricas, sin darnos cuenta de que también entonces tenían una vida normal, con escenas y situaciones triviales, que la hacían monótona.

Este error de perspectiva lo debemos en parte al ya aludido tono enfático y altisonante de los escritores clásicos, que nos han hecho olvidar que la humanidad ha cambiado muy poco desde que comenzó la historia escrita, cosa relativamente reciente.

Fue extraordinaria la evolución durante los miles de años que transcurrieron desde que los primeros hombres, ya como tales, comenzaron a pensar hasta que dieron con el alfabeto y pudieron dejarnos registros de cuanto había sucedido.

Después, poco hemos variado, aunque cambiasen del medio ambiente, las ideas y la técnica. Nuestros instintos, nuestros temores y nuestras vanidades son las mismas en la era atómica que en la cavernaria y esta desproporción constituye la gran tragedia del ser *humano, que no llega a dominar su mundo y se ve arrollado por los adelantos.*

Aunque cueste creerlo, íbamos a comprender al ciudadano romano mucho mejor de lo que suponemos. Quizá la única diferencia fuese en los detalles, como la etiqueta en la mesa, el sistema de transportes o las diversiones, pero, en lo más íntimo, seguimos a su altura.

De esto no quisieron darse cuenta los historiadores quienes durante mucho tiempo rechazaron las novelas como fuente de información. Por tal motivo, la historia sigue teniendo ese aire frío y deshumanizado que no invita a su lectura, pues no parece tratar de seres vivos. Son acontecimientos, fechas y lugares, pero no dice quiénes lo hicieron ni qué circunstancias permitieron hacerlo. Cuando se detiene en alguien, es siempre un personaje excepcional, que parece haberse desenvuelto en compañía de autómatas, pero tampoco lo pinta con rasgos de vida para que le comprendamos.

La novela, en cambio, permite conocer esa dimensión humana del pasado, al describirnos cómo era la vida entonces y cómo sentían los que la vivieron. La novela, aunque parezca una incongruencia pues se trata de algo imaginado, es muchas veces lo que fue en la realidad y no lo que pretendía ser, espejismo en el que, frecuentemente, cae la historia.

Cierto que este panorama puede estar deformado por el particular temperamento del autor, pero una caricatura se basa siempre en la realidad.

La novela picaresca española, como confirman las investigaciones, nos da una idea mucho más clara de lo que fue nuestro Siglo de Oro que un montón de tratados.

Esto ocurre también con El Satiricón.

Ante todo es preciso tener en cuenta el momento histórico que refleja. Ya no es la Roma que pugnaba por extenderse por la península italiana, ni tampoco la que conquistó el mundo. Se trata de la Roma de Nerón, que ya lo tenía todo y nada le quedaba por hacer. Sus ciudadanos se limitaban a ir tirando y aguantar. Por tanto, faltos de estímulos y, como consecuencia lógica, de fe en sí mismos, pero con muchas comodidades, cayeron en la dolce vita, *siglos antes de Elsa Maxwell.*

Por mucho que exagerase el autor y por mucho que cambiaran los copistas, el cuadro resulta tan familiar y los personajes tan actuales que en modo alguno puede ser falso.

Encontramos ante todo la queja y la desconfianza continua hacia los poderes públicos, a los que acusan de preocuparse más de llenar los bolsillos que del bien común, pero, al mismo tiempo, ningún esfuerzo para evitarlo, junto con la eterna nostalgia de otras épocas en que tal cosa no sucedía ni los hombres lo toleraban.

Éste es el cuadro de la burguesía de cualquier país, para completar el cual ni siquiera faltan la filosofía del ocio ni los parásitos que, como Eumolpo, giran en torno a ella en espera de beneficiarse. No pretenden éstos obtener grandes ganancias, lo que, en parte y desde un punto de vista indigno, iba a justificarles; simplemente les basta con que les eviten preocupaciones.

Sus personajes, como Trimalcio, por ejemplo, se parecen de un modo extraordinario a gente que encontramos a la vuelta de cualquier esquina.

Trimalcio, cuyo banquete ocupa gran parte de la obra, es un nuevo rico; lo que en nuestra postguerra se llamó un estraperlista.

Como liberto, que ha surgido de la nada por medios poco limpios, su fortuna le viene grande y hace de ella una exhibición ridícula e infantil.

En ocasiones, recuerda a los chistes más ingeniosos y descriptivos que en torno a esa fauna circulaban. Así, con propiedades en el sur de Italia, pretende comprar Sicilia para que, al trasladarse a sus fincas de África, no deba salir de casa y obliga a los invitados a que comprueben el peso de las joyas de su esposa, para que vean que son muy caras.

Puesto que es rico, se cree también culto y suelta una barbaridad tras otra, sin que nadie le corrija por miedo a perderse el festín, pero, al mismo tiempo, Trimalcio reconoce que sólo le agradan los espectáculos que distraen; la eterna excusa del que no quiere pensar.

Incluso su actitud para con los esclavos resulta extremadamente lógica y actual.

Nos hemos acostumbrado a considerar a quien los poseía como al malo de La Cabaña del tío Tom, *sin tener en cuenta que la esclavitud ha existido oficialmente desde que la primera tribu hizo el primer prisionero de guerra, y no se lo comió, hasta casi finales del siglo pasado. Hoy día, de modo legal, se ha reducido mucho el área. Durante todos estos siglos, también había gente que se jactaba de buenos sentimientos, y que, dentro del orden de las cosas, los tenían, que eran propietarios de siervos.*

Trimalcio afirma que los esclavos son hombres iguales a él, pero con menos suerte, lo que no le impide retenerles ni pegarles, ni tampoco le obliga a mejorar su situación, actitud que, para con los de abajo, resulta extraordinariamente vigente.

En conjunto, da la impresión de que a Petronio le eran poco simpáticos Trimalcio y sus congéneres.

Otro personaje, también muy familiar e igualmente importante, es el poeta Eumolpo. Tiene la característica habitual en todo el gremio de recitar sus versos a la primera oportunidad que se le presenta, incluso forzándola, en lo que tampoco han cambiado a lo largo de los siglos.

Eumolpo provoca la indignación popular en cuanto abre la boca y sus representaciones teatrales concluyen siempre en estrepitosos fracasos, pero es un protegido de las clases altas, a las que divierte y sirve, calumniando a sus enemigos con sus sátiras. Resulta inevitable pensar en los columnistas, dedicados a esparcir chismes.

En conjunto, los romanos que describe Petronio, como ya se ha dicho, son los poderosos de la tercera generación, que se creen con derecho a todo y sin ninguna clase de deberes. Carecen de convicciones, pero mantienen todas las ceremonias establecidas, ya que forman parte del tinglado.

Suponíamos su relajación de costumbres un poco vergonzante, en un ambiente de complicidad, como de cosa prohibida. Petronio, en cambio, nos explica que se hacía a la luz del sol con toda naturalidad, lo que resulta más lógico si tenemos en cuenta que era norma general. En consecuencia, se puede comprobar que dicha relajación iba mucho más allá de lo que pudo suponer el ingenuo Sienkiewicz, puesto que para los interesados no había otro freno que su capricho y sus posibilidades. No tenían, a diferencia del novelista polaco, consciencia.

Sin embargo, tampoco escapaban a la hipocresía, que suele ser la defensa de toda forma de sociedad, y así vemos a Trifena, quien nada tiene que envidiarle a nadie, ruborizarse con el cuento de la matrona de Éfeso.

Han apuntado algunos comentaristas que este rubor no es una simulación, sino que el mencionado cuento le recuerda alguna de sus aventuras, perdida para nosotros. Debe admitirse tal posibilidad, si bien no excluye la hipocresía.

Por cierto que el cuento de la matrona de Éfeso, uno de los mejores de la obra, lo han reproducido a su manera numerosos autores, por lo que ya nos suena a cosa sabida. Sin embargo, ninguno supo narrarlo con la sencilla gracia de Petronio.

De cuanto más arriba se ha dicho, no debe suponerse que éste pretendiese hacer con El Satiricón lo que ahora se llama crítica social. Ya hemos advertido que a Petronio no le guiaba otro propósito que explicar lo que veía, sin pretensiones moralizadoras o de cualquier otra clase, y lo hizo con toda desenvoltura y desfachatez.

Por tal motivo, se tuvo a la novela por escandalosa durante siglos y esta fama la ha seguido hasta hoy.

Sin embargo, el calificativo de escandaloso es inadecuado por completo. Sería difícil encontrar otro autor que explicara tantas barbaridades con tanta sencillez y naturalidad, sin darle importancia y sin caer nunca en la ordinariez o en el mal gusto.

Ni en un solo momento de la obra, pese a los muchos párrafos que podrían ser escabrosos, se crea el ambiente de morbosidad, necesario para la pornografía. Hay, eso sí, un malabarismo de palabras para indicárnoslo todo sin brutalidad, una elegancia en la frase, pese a su sencillez, que desmiente cuantas acusaciones se le han hecho.

Es muy posible que esto se deba, en parte, a que, para el autor, no era una novedad cuanto describiera y, que, aun en el caso de desaprobarlo, se lo tomó a chacota. Ni busca despertar el interés malsano del lector ni tampoco horripilarle. Da la impresión de que lo único que busca es divertirle y que, a su vez, él se divirtió lo suyo al escribirla.

Sin embargo, basta haber sostenido una pluma unas cuantas veces para saber las dificultades que encierra una obra como ésta y los numerosos escollos que deben salvarse.

Escribir es, en cierto modo, un parto, con idénticos goces y sufrimientos. Ambas cosas debieron acompañar a Petronio mientras pergeñaba este viaje de Eumolpo y Giton a través de la Roma de la decadencia.

LEÓN - IGNACIO

I

Hace tiempo que os prometí entreteneros con el relato de mis aventuras y hoy voy a cumplirlo, ya que nos hemos reunido no sólo para enzarzarnos en discusiones científicas, sino también para distraernos con amena charla y con narraciones alegres y divertidas. Fabricio Vegento, con el ingenio que le es peculiar, nos ha trazado un cuadro satírico de los errores de nuestra religión y de los furores proféticos o de cómo comentan los sacerdotes aquellos misterios que no comprenden. Sin embargo, ¿es menos ridícula la manía de los oradores que claman: «¡Éstas son las heridas que recibí defendiendo las libertades públicas!» «¡Ved el hueco del ojo que por vosotros perdí!» «¡Proporcionadme un guía que me acompañe junto a los míos!» « ¡Mis rodillas, a causa de las cicatrices, no pueden ya sostenerme!»? Iba a resultar insoportable tanto énfasis, de no abrirle paso la elocuencia; ahora bien, ese estilo hinchado, ese vano retumbar de sentencias, que de nada sirven, hacen de los jóvenes que se inician en los estrados y de los escolares unos necios con soberbia de maestros; ya que de cuanto ven y aprenden en las Academias nada les brinda un cuadro auténtico de nuestra sociedad. Les llenan la cabeza con fábulas de piratas que preparan cadenas para los cautivos; de tiranos cuyos brutales edictos obligan a los padres a decapitar a sus hijos; de las monstruosas respuestas de los oráculos que exigen el sacrificio de tres doncellas, e incluso más, para librar a una ciudad del flagelo de la peste. Un alud de frases vulgares y sonoras y de párrafos sin sentido pero perfectamente redondeados que casi nos hacen estremecer.

II

Imbuidos y amamantados de tantas tonterías no es extraño que resulten tal como son pues los cocineros siempre huelen a cocina. Permitidme, por tanto, que os diga, sin que lo toméis a ofensa, que fuisteis vosotros los primeros que aniquilasteis la elocuencia. Al reducir vuestros discursos a una armonía elemental, a simples juegos de palabras, hicisteis de la oratoria un cuerpo sin alma y, por tanto, murió. No se entrenaba a los jóvenes en esos discursos cuando Sófocles y Esquilo crearon un nuevo lenguaje para la escena. Los pedantes de las Academias no malograban el talento cuando Píndaro y los nuevos líricos cantaron sin temor poemas dignos de Homero. Y, aparte de los poetas, tampoco Platón y Demóstenes, a mi juicio, se dedicaron a ese género de composiciones. La verdadera elocuencia, digan lo que digan, se eleva cuanto más modesta, radiante y natural, sin afeites, bella por su propia hermosura, igual que una doncella púdica. Hace poco que ese alud de palabras huecas emigró de Asia hacia Atenas. Como un astro maligno, su perniciosa influencia ha oprimido y aniquilado las alas de la juventud y, como consecuencia, se han secado las fuentes de la verdadera elocuencia. ¿Quién emula ahora la perfección de Tucídides? ¿Quién puede ahora disputarle la fama a Hipérides? No conozco ni un solo verso inspirado; todos esos abortos literarios se parecen a los insectos que nacen y mueren en un mismo día. La Pintura ha tenido idéntico fin, desde que el audaz Egipto se dedicó a ejercer tan noble arte. Esto es lo que yo estaba diciendo cierto día, cuando Agamenón se acercó a nosotros, curioso por conocer al orador, a quien con tanto interés escuchaba.

III

Agamenón, inquieto al oírme perorar durante tanto tiempo en el pórtico cuando él en la escuela carecía de público, me dijo:

—Joven, la gente no puede saborear tus discursos. Tienes lo que no abunda: buen sentido, y no quiero ocultarte los secretos de la oratoria. No son los profesores los responsables de tantos errores, ya que las cabezas huecas no pueden contener ideas y, si los maestros se empeñaran en enseñárselas, iban a quedarse solos en la escuela, como decía Cicerón. Es lo mismo que los aduladores que, cuando les invitan a comer, ensayan frases de elogio que halagan los oídos de los comensales. De no ser así, esos oradores parásitos serían como el pescador que, al olvidar poner el cebo en los anzuelos, decide tenderse sobre una roca y renunciar a la pesca.

IV

Por tanto, ¿a quién puede culparse? A los padres, que se oponen a que se eduque a sus hijos de un modo severo y viril. Comienzan por sacrificar, como todos, sus esperanzas a su ambición. De este modo, ya al preparar sus ofrendas, empujan a esos aprendices de oradores hacia el foro y la elocuencia, que reconocen alcanza alturas no igualadas por parte alguno, se convierte en una pueril diversión. De tener más paciencia, graduarían mejor sus estudios y los jóvenes inteligentes irían depurando sus gustos con lecciones severas e inculcarían en su ánimo sabios preceptos de composición, corrigiendo su estilo y recitándoles cuanto es digno de imitarse. Se negarían pronto a aplaudir lo pueril y la oratoria recobraría su imponente majestad. Actualmente, los niños juegan en las escuelas, los jóvenes resultan ridículos en el foro y los viejos no quieren reconocer los errores que tuvo su educación. No creáis que desprecio ese difícil arte de la improvisación, en el que tanto sobresalió Lucilio. Lo que pienso os lo voy a decir, a mi manera, en los siguientes versos:

V

Si aspiras a ser genio. Si del arte
severo los magníficos efectos

amas huye del lujo y de la gula.
De la inmortalidad el alto asiento
únicamente el que es frugal ocupa.
Huye de Baco los placeres pérfidos
que la mente perturban y acaloran.
La rígida virtud no dobla el cuello
ante el vicio triunfante.
Tampoco te seduzcan los escénicos
aplausos de la turba que en el circo
también corona al luchador sereno
con gritos de entusiasmo.
Busca la gloria en Nápoles y Atenas,
quema a Apolo tu incienso;
que la ciencia hacia Sócrates te lleve;
bebe el néctar heleno,
y podrás ya coger con mano firme,
según tu anhelo,
la pluma de Platón o de Demóstenes
los rayos deslumbrantes y soberbios.
El Parnaso latino también puede
ofrecerte magníficos modelos,
guerras cantando o trágicos festines
en cincelados versos.
Cicerón, en el foro, irresistible,
dulce, insinuante, enérgico,
con su palabra fácil, semejante
a río caudaloso en cauce estrecho,
difundió su elocuencia
del Tíber al Pireo.

VI

Mientras yo escuchaba con avidez a Agamenón, Ascylto huyó de mi lado sin que yo lo advirtiese: y cuando reflexionaba acerca de lo que había oído, invadió el pórtico una turba de estudiantes que, sin duda, estuvo escuchando algún discurso improvisado por cualquier orador en respuesta al de Agamenón. Algunos jóvenes reían de las frases de éste y otros se mofaban de su falta de plan y de método. Yo aproveché esta oportunidad para alejarme de allí, confundido entre ellos, en busca de Ascylto, aunque no tenía muchas esperanzas de lograrlo, ya que ni conocía los caminos ni dónde se encontraba nuestro albergue. Tras muchas vueltas regresé, sin darme cuenta, al punto de partida. Al fin, cansado, bañado en sudor, me dirigí a una anciana que vendía verduras.

VII

—¿Puedes decirme; madre —le pregunté— dónde vivo?
La vieja sonrió, al oír mi estúpida pregunta.
—Naturalmente —respondió.
Se puso en pie y echó a andar delante de mí. La imaginé adivina y, cuando llegamos a una oscura callejuela, abrió la puerta de una casucha y dijo:
—Aquí debes vivir.
Como no reconocí el edificio, comencé a protestar y, durante la discusión, vi a varias meretrices desnudas, a las que acompañaban unos misteriosos trasnochadores. Aúnque tarde, me di cuenta de a dónde me había conducido la maldita vieja y, cubriéndome la cara con el manto, huí del burdel, cruzándolo de un extremo a otro, como aturdido. Me encontraba ya en el umbral de la casa, cuando tropecé con Ascylto, que parecía no menos cansado y abatido que yo. Era para creer que aquella bruja había querido

reunirnos en aquel lugar. Al reconocerle, no pude contener una sonrisa ni preguntarle:

—¿Qué haces en tan honesta casa?

VIII

Con las manos, se enjugó el sudor que le empapaba el rostro y dijo:

—¡Si supieras lo que me ha ocurrido!

—¿Qué son esas novedades? —pregunté.

Y él, con voz apagada, continuó:

—Vagaba por toda la ciudad, sin encontrar nuestro albergue y se me acercó un padre de familia, de venerable aspecto, que se ofreció a guiarme. Acepté. Cruzamos varias calles oscuras y estrechas hasta dar con esta casa y entonces pretendió comprar mi estupor con dinero, llegando incluso a suplicarme para que me decidiese. Ya le había pagado la habitación a la meretriz y el sátiro me empujaba hacia dentro con incontenible deseo. De no resistirme con tanto vigor, me habrían ultrajado.

Mientras Ascylto me iba contando sus aventuras, vino a nuestro encuentro el mismo padre de familia, a quien acompañaba una mujer de bastante belleza. Al tiempo que el hombre rogaba a Ascylto que le acompañara, ponderándole el placer que iba a experimentar, la mujer me animaba a mí para que la siguiera. Nos dejamos convencer y entramos, cruzando varias habitaciones, escenario de lúbricas escenas. Cuando nos vieron, tanto hombres como mujeres exageraron sus actitudes lascivas. De improviso, uno de ellos, subiéndose la túnica hasta la cintura, saltó sobre Ascylto, lo tumbó en un lecho y quiso violentarlo. Acudí en su ayuda, le liberté no sin esfuerzos y Ascylto huyó, abandonándome entre aquella chusma; pero, como era superior en fuerza y arrojo a mi compañero, conseguí librarme de sus ataques y salir de aquel antro.

IX

Había recorrido casi toda la ciudad, cuando, como a través de una niebla, vi a Giton a la puerta de un albergue; era el nuestro. Entré y él me siguió.

—Amigo —le dije—, ¿qué hay para cenar?

Por toda respuesta, el muchacho se sentó en el lecho y por sus mejillas rodaron gruesas lágrimas, que intentaba ocultar.

—¿Qué te ocurre? —le pregunté conmovido.

Él se obstinó en su silencio y como yo insistí, incluso amenazándole, acabó por contarme que Ascylto le había ultrajado.

—Cuando quiso violentarme —dijo— yo me resistí, pero él, sacando la espada, me obligó a tenderme en el lecho, mientras exclamaba: «si tú eres Lucrecia, llega aquí tu Tarquino».[1]

Al oírlo, quise agredir a Ascylto.

—¿Qué dices tú —indagué—, seductor infame, peor que las cortesanas, de alma sucia y enferma?

Ascylto, simulando indignarse y agitando los brazos amenazadoramente, gritó, más alto que yo:

—¿Eres tú quien habla, gladiador obsceno, asesino de tu huésped, salvado por milagro de la arena del circo? ¿No callas, ladrón nocturno, violentador de mujeres? ¿Aún te atreves a alzar la voz, tú que en cierto bosque me hiciste servir de Ganímedes,[2] lo mismo que te sirve ahora este muchacho?

—¿Por qué huiste, cuando yo hablaba con Agamenón? —quise saber.

---

1. Lucrecia, esposa de Tarquino Colatino, era modelo de virtudes. Tarquino el Soberbio se prendó de ella y, como no accedía a sus deseos, la violó. Lucrecia llamó a su padre, a sus hermanos y a su marido y, después de relatarles el hecho, se suicidó. Este suceso derribó la monarquía en Roma y trajo la república.
2. Ganímedes príncipe troyano de gran hermosura, al que raptó un águila. Fue llevado al Olimpo, donde Júpiter le tomó a su servicio como copero y también como amante.

X

—¿Y qué iba a hacer allí, pobre imbécil, si me moría de hambre? ¿Tenía que quedarme a escuchar frases estúpidas y a interpretar sueños?

—Mucho más censurable eres tú que, ¡por Hércules!, para conseguir una cena adulaste al poeta.

Poco a poco, aquella ridícula disputa se fue tornando en una amigable charla. Pronto, sin embargo, me acordé de la ofensa recibida.

—Ascylto —dije—, nuestra buena amistad no puede seguir. Separémonos de común acuerdo y que cada uno vaya a probar fortuna por su lado. Los dos somos literatos pero no importa; para evitar roces del amor propio, elegiré otra profesión, para que nuestra rivalidad no sirva de burla a la gente de la ciudad.

Ascylto estuvo de acuerdo y dijo:

—Hoy estamos invitados a una gran cena, por nuestra condición de maestros. No perdamos la noche. Vayamos juntos por última vez y mañana me buscaré otro jovencillo como Giton y otro albergue.

—No debe aplazarse nunca lo que se ha decidido hacer —respondí.

El amor me hacía desear una separación inmediata. Hacía tiempo que deseaba librarme de tan molesta compañía para entregarme, sin testigos, a los brazos de Giton. Mis palabras dolieron a Ascylto, que, en silencio, abandonó la habitación. Su precipitada fuga no presagiaba nada bueno. Yo conocía muy bien el coraje y la agresividad de Ascylto, por lo que le seguí para vigilar sus pasos y contenerle; pero se escondió casi enseguida y aunque exploré casi todo el barrio no conseguí dar con su paradero.

Recorrí una a una todas las posadas de la ciudad, sin encontrarle, y al fin volví a la mía, para entregarme a mi pasión por Giton. Le abracé amorosamente, mientras le prodigaba nuevas y cálidas caricias y mi dicha igualó a mis deseos. Fui en todo concepto digno de envidia. En lo más dulce de aquellos momentos, Ascylto abrió violentamente la puerta y nos sorprendió en pleno éxtasis. La habitación retumbó con sus risas y sus estrepitosos aplausos. El malvado apartó el manto que nos cubría.

—¿Qué estás haciendo —dijo—, hombre honestiísimo? ¿Qué es eso? ¿Los dos acostados juntos, bajo el mismo manto?

No siguió, pero, soltándose el cinturón de cuero, comenzó a azotarme, no como juego, para añadir después:

—Así no te separarás de tu hermano Ascylto.

Nada podía aterrarme tanto como esta inopinada injuria. Decidí soportar en silencio los insultos y los golpes. Creí preferible, por prudencia, tomar la cosa a broma, evitando así tener que enfrentarme a él. Mi simulada hilaridad fue aplacando su ánimo. Al fin, sonrió también Ascylto.

—Y tú, Eumolpo —dijo entonces—, te hundes en la molicie, sin pensar en que nos falta dinero y que ya es muy poco lo que nos queda. Durante el estío, la ciudad resulta estéril. Es en el campo donde se encuentran los ricos. Vamos, pues, al campo en busca de amigos.

Ante la necesidad, aprobé el consejo, si bien seguía resentido en mi amor propio. Por tanto, el honrado Giton cargó con nuestro menguado equipaje, salimos de la ciudad, y nos encaminamos al castillo de Licurgo, caballero romano. Como en otro tiempo Ascylto fue muy complaciente con él, sirviéndole en sus placeres, Licurgo nos recibió con toda amabilidad; tenía reunidos a huéspedes alegres, que nos proporcionaron buena compañía. Entre las mujeres que allí llevara Licas, el patrón del barco, propietario además de algunas tierras en aquella orilla, la más hermosa era

Trifena. Aunque la mesa de Licurgo no era espléndida, su casa resultaba un lugar de tantos placeres voluptuosos como pueda imaginarse. Quiero que sepáis, antes de seguir, que Venus se preocupó de reunirnos por parejas. A mí me prendió la hermosa Trifena y ella no fue insensible a mis palabras. Pero apenas comenzamos a gozar juntos de los placeres, Licas, indignado, asegurando a gritos que le robaba su amante, me exigió que yo reemplazase a la hermosa en su lecho. Estaba ya cansado de sus amores con Trifena y me la ofreció alegremente a cambio de que me mostrase complaciente con él. Pronto, su encaprichamiento por mí, me hizo víctima de una verdadera persecución; pero yo ardía de amor por la bella y no atendía sus proposiciones. Mi desdén no hizo más que avivar sus deseos, por lo que, enardecido, me buscaba por todas partes. Una noche, entró en mi habitación y, al rechazarle yo, de los ruegos pasó a las amenazas; mis gritos despertaron a los criados de Licurgo, quienes vinieron en mi ayuda, y así pude escapar sano y salvo de las brutales acometidas de aquel sátiro. Licas, comprendiendo que en la casa de Licurgo había demasiados obstáculos para sus propósitos, pretendió atraerme a la suya. A mi negativa, opuso la embajada de Trifena, quien, por encargo suyo, me lo pidió de un modo expresivo y apasionado, ya que en la morada de Licas tenía mucha más libertad que en la de Licurgo. Obedecí al impulso del amor y decidimos que Ascylto se quedase con Licurgo, con quien había reanudado su amoroso trato, y Giton y yo seguiríamos a Licas, conviniendo en que el provecho que uno y otro consiguiéramos lo destinaríamos a la bolsa común. Satisfecho de mi decisión, Licas hizo que partiéramos enseguida. Nos despedimos de los amigos y aquel mismo día llegamos a la mansión de Licas, cuyo júbilo era indescriptible desde que aceptamos su proposición. Por el camino, hizo que le acompañase y que Trifena marchase junto a Giton, de quien la ingrata se enamoró de un modo incontenible y sin disimulos. A mí me comían los celos, que Licas se encargaba de fomentar, esperando que el despecho me hiciera entregarme a él. En tal estado de ánimo, llegamos a casa de Licas y pude comprobar que Trifena ardía de amor por Giton, quien, a su vez, la amaba con juvenil vehemencia. Esta doble pasión constituía un doble tormento para mí. Mientras, Licas, por distraerme, inventaba todos los días nuevas diversiones, que compartía y embellecía con su presencia Doris, la hermosa cónyuge de Licas. Los atractivos de Doris acabaron por borrar de mi corazón a Trifena y muy pronto mis miradas le confesaron mi amor, al tiempo que las suyas me aseguraban una dulcísima correspondencia. La graciosa Doris no me ocultó el carácter celoso de Licas ni el motivo de las atenciones que éste me guardaba. Me comunicó sus sospechas en nuestra primera entrevista. Ya que se había descubierto la verdad, yo hice valer mi resistencia a los deseos de su esposo. Como mujer prudente y de recursos, Doris aconsejó:

—Y, ahora, que valga nuestro ingenio; consiente en que te posea, para que tú puedas poseerme a mí sin sobresaltos ni temores.

Así lo hice. Mientras, Giton había agotado su virilidad con Trifena y no tuvo más remedio que tomarse un descanso. Ella entonces se acordó de mí y quiso que reanudáramos nuestras diversiones. Mi desprecio convirtió su amor en odio, me siguió con cuidado, me espió cautelosamente y acabó por descubrir mi doble comercio con Doris y su marido. Decidida a impedir mis amores furtivos, se lo descubrió todo a Licas. Éste, furioso, quiso comprobarlo para tomar venganza, pero Doris, advertida por una sirvienta de Trifena, suspendió nuestras entrevistas, avisándome del peligro. Me indignaron la perfidia de Trifena y la ingratitud de Licas, por lo que decidí marcharme. Por suerte, el día anterior un barco, cargado de ofrendas para Isis,[3] había encallado en la costa vecina. Informé de mi proyecto a Giton, quien lo aprobó enseguida,

---

3. Isis, diosa egipcia, cuyo culto se extendió por toda Europa. Era señora del Cielo y se le dedicaba la constelación de Virgo. A los romanos no les importaba mucho incorporar nuevas deidades a su mitología. Así se sentían un poco más protegidos.

resentido como estaba con Trifena, que le desdeñaba y hacía burla de su agotamiento. Al amanecer del día siguiente, llegamos al buque. Sus tripulantes, gente de Licas, nos conocían y nos hicieron los honores, guiándonos por todo el navío. No convenía a mis proyectos su compañía, por lo que, dejando a Giton con ellos, me aparté, para pasar al camarín donde se encontraba la estatua de Isis. Llevaba en la mano un hermoso Sistro[4] de plata y la cubría un manto ricamente bordado. Tomé ambas cosas, hice con ellas un paquete y, desde el camarote del piloto, abandoné el barco. Únicamente Giton se dio cuenta y se reunió conmigo en cuanto pudo burlar con habilidad a sus acompañantes; al día siguiente, alcanzamos la casa de Licurgo. Le referí mis aventuras a Ascylto y le mostré mi presa. Por consejo suyo, fui a prevenir a favor nuestro a Licurgo, asegurándole hasta que se convenció de que las inoportunas demandas de Licas eran la única causa de nuestra huida. Licurgo, sin dudarlo, juró que nos defendería contra Licas y contra todos. No se dieron cuenta de nuestra fuga hasta que despertaron Trifena y Doris, pues, por cortesía, todas las mañanas asistíamos a su tocado y les extrañó nuestra inesperada ausencia. Licas despachó gente a buscarnos por la costa y pronto supo la visita al navío aunque no el robo, ya que la popa estaba en la parte opuesta a la orilla y el piloto se encontraba en tierra. Convencido de nuestra evasión, Licas se revolvió furioso contra Doris, a la que suponía culpable. Sin duda, la cubrió de injurias, de amenazas e incluso de golpes, aunque no conozco detalles de la escena. Mientras, Trifena, verdadera causante de la desaparición, sugirió al amo que nos buscara en casa de Licurgo, con el propósito de gozar con nuestra confusión y podernos cubrir de ultrajes. Ambos se pusieron en camino al día siguiente y llegaron a la morada que nos servía de asilo. Nosotros acabába-

---

4. Sistro, atributo de la diosa Isis, que luego enarbolaban los sacerdotes de su culto y más tarde todos sus fieles.

mos de salir con nuestro anfitrión para asistir a las fiestas de Hércules que celebraba una aldea vecina. En cuanto ellos se enteraron, se dirigieron a dicho poblado, sorprendiéndonos en el pórtico del templo. Su aparición nos desconcertó por completo. Licas nos acusó ante Licurgo de nuestra fuga, pero éste le cortó en seco con una brusca respuesta y entonces, yo, envalentonado, le reproché en voz alta y firme sus ataques a mi pudor, tanto en casa de Licurgo, como en la suya propia, echándole en cara su brutal lubricidad. Trifena quiso ayudarle, pero pronto recibió su castigo, ya que, ante el griterío, nos rodeó un buen número de curiosos, en cuya presencia la desenmascaré, mostrando el ojeroso semblante de Giton, así como el mío, para que todos supieran que no era más que una meretriz. Ante las risas y las burlas de los transeúntes, nuestros perseguidores se retiraron confusos, aunque jurando en su fuero interno vengarse de nosotros. Habían comprobado la aversión que por ellos sentía Licurgo y decidieron esperarnos en su residencia para desengañarle. Afortunadamente, la fiesta duró hasta muy entrada la noche, cuando era ya demasiado tarde para volver a la quinta. Licurgo nos acompañó hasta una casa de campo, situada hacia la mitad del camino, y, al amanecer del día siguiente antes de que nos levantáramos, se fue a su castillo, donde encontró a Licas y a Trifena, que lograron convencerle de que yo le había engañado y arrancarle la promesa de que nos entregaría a ellos. Cruel y desconfiado por naturaleza, Licurgo sólo pensó en encerrarnos, como Licas le había sugerido, hasta que regresara éste con los ayudantes que para llevarnos a Giton y a mí había ido a buscar. Licurgo llegó a la casa de campo antes de que nos levantásemos y nos acusó con dureza de haber calumniado a su amigo Licas y, cruzándose de brazos, nos informó de su propósito de entregarnos a él. Luego, sin siquiera escuchar la defensa que de nosotros hizo Ascylto, nos encerró en el dormitorio con dos vueltas de llave y, arrastrando a su amigo, regresó al castillo, no sin antes ordenar a su gente que nos vigilara. Por el camino, Ascylto procuró en vano conmoverle, con ruegos, lágrimas y caricias. Ofendido por la dureza de Licurgo, rehusó desde aquel mismo momento compartir su lecho y decidió salvarnos como fuera. Ascylto, cargando a la espalda nuestro equipaje, llegó al amanecer a nuestra prisión, encontró dormidos a los guardianes, forzó fácilmente la puerta, gracias a la fragilidad de la carcomida madera, y nos despertó de modo brusco. Por suerte, los guardianes estaban rendidos por haber velado toda la noche y no oyeron el ruido. Nosotros salimos vistiéndonos a toda prisa para no perder tiempo. Irritado, pensé en asesinar a los criados, saquear la casa y luego prenderle fuego. Al comunicar este plan a mi amigo, me respondió:

—Me agrada lo del saqueo, pero me niego a que se derrame sangre, a menos de que sea necesario para asegurar nuestra libertad.

Ascylto conocía bien aquella casa y nos condujo hasta un riquísimo guardajoyas, que forzamos, haciéndonos con un abundante botín. Pero el sol nos avisó de que era hora de ponernos a salvo y corrimos con nuestro tesoro por caminos y sendas semiocultas, hasta que imaginamos estar a salvo y nos detuvimos para tomar aliento. Ascylto se mostraba muy contento de haber desvalijado la villa del miserable Licurgo, que sólo había agradecido sus complacencias con pobres vinos y frugales comidas. Tan sórdido y mezquino era, que, en medio de la abundancia, poseedor de inmensas riquezas, rehusaba gastar incluso lo necesario.

> Rodeado de agua y de manjares ricos
> muere de hambre y de sed el pobre. Tántalo;
> imagen fiel del que amontona el oro,
> del infeliz avaro,
> que muere de hambre y sed, como un imbécil,
> a su caja de caudales abrazado.

Quería Ascylto que aquel mismo día entrásemos en Neápolis.
—Tal vez sea una imprudencia —le dije— porque puede estar-

nos persiguiendo la justicia. Desorientémosles, ocultándonos aún unos días más, ya que disponemos de fondos para seguir recorriendo la campiña.

Aceptó el consejo y, como no lejos, en un amplio y hermoso prado, se alzaban las quintas que habitaban en verano varios de nuestros amigos, nos dirigimos hacia allí, pues tendríamos cobijo y placeres. A mitad de camino, nos sorprendió la lluvia y tuvimos que refugiarnos en una posada, atestada de caminantes que se guarecían de la tormenta. Confundidos entre la multitud, nadie nos prestó atención, lo que nos sugirió la idea de dar un nuevo golpe. Estuvimos observando cuanto allí había y Ascylto descubrió una bolsa, de la que se apoderó sin que nadie le viese y que contenía muchas monedas de oro. Contentos con la ganancia, y temiendo las reclamaciones, nos acercamos a una puerta que daba al campo, con el propósito de escapar. Había allí un sirviente que ensillaba unos caballos y que, de improviso, sin duda por haber olvidado algo, se marchó. Yo aproveché aquel instante para apoderarme de un magnífico caparazón. Luego, sin detenernos, nos internamos en el bosque próximo. Una vez allí, decidimos ocultar el oro, no por temor a que nos robaran, sino para no pasar por ladrones. Cosimos el botín entre el paño y el forro de una vieja túnica, que yo me eché al hombro, y Ascylto se encargó del caparazón que yo había sustraído. Después, nos dirigimos por sendas tortuosas hacia la ciudad vecina. Pero cuando íbamos a salir del bosque oímos que alguien decía:

—No pueden escapar. Entraron en el bosque. Dividámonos para perseguirles y pronto les capturaremos.

Al oír esto nos invadió un gran pánico. Mientras Ascylto y Giton continuaban su huida hacia la ciudad, yo volví hacia atrás, tomando la dirección opuesta. En mi fuga, no me di cuenta, a causa del miedo que me dominaba, que perdía la preciosa túnica. Aunque estaba rendido por la fatiga, al advertir la desaparición de nuestro tesoro, recobré mis fuerzas como por ensalmo y volví atrás para buscarlo, internándome en lo más tupido del bosque, donde me perdí, después de cuatro horas de infructuosa caza. Mientras buscaba, más que la túnica, salir de aquel maldito bosque, me topé con un campesino. Debí hacer acopio de todo mi valor para hablarle con serenidad, pero, por suerte, no me faltó. Le pedí que me guiase, pues andaba perdido en el bosque desde hacía unas horas. Él miró mi rostro pálido, mi pobre traje y se ofreció, bondadosamente, a guiarme hasta el camino real. Quiso saber si entre la espesura me había encontrado a alguien, le dije que no e iba ya a despedirse, cuando aparecieron dos compañeros suyos, quienes explicaron que venían de registrar el bosque, sin hallar más que una pobre túnica. Era la mía, pero no me atreví a reclamarla. Pensad en mi dolor al ver mi tesoro en poder de aquellos gañanes, que ni siquiera lo sospechaban. Mi debilidad aumentaba por momentos y lentamente emprendí el camino de la ciudad. Era ya tarde cuando llegué. En la posada, encontré a Ascylto, medio muerto, tendido en un pobre lecho. Incapaz de hablar, me dejé caer en el vecino. Ascylto se turbó al no ver la túnica sobre mis hombros, no pudiendo dar crédito a sus ojos. Los míos, mejor que las palabras pues hasta me faltaba la voz, le explicaron mi infortunio. Cuando al fin pude relatarle lo ocurrido, no me quiso creer, pese a mis juramentos y a mis lágrimas, imaginando que trataba de privarle de su parte del tesoro. Giton, al ver mi pesadumbre, rompió a llorar y la tristeza de aquel niño aumentaba la mía. Pero mi mayor preocupación era pensar que la justicia nos perseguía, aunque Ascylto se burló de mí cuando se lo dije, pues se consideraba libre de toda sospecha. Tenía el convencimiento de que, al ser desconocidos, sin que nadie nos hubiera visto, podíamos sentirnos seguros. Intentamos fingir una enfermedad, para justificar que nos quedáramos en el lecho, pero pronto tuvimos que simularnos curados, ya que, careciendo de dinero nos fue preciso vender algunas cosas para cubrir nuestras necesidades más apremiantes.

XII

Cuando oscurecía, nos dirigíamos al mercado, en el que vimos muchas cosas de escaso valor, pero de dudosa procedencia, que las sombras de la noche impedían averiguar. Lo primero que llevamos fue el caparazón robado, que extendimos en un rincón, esperando que su brillo atrajese a algún buhonero que lo comprase. Efectivamente, muy pronto se acercó a nosotros un campesino, cuyo semblante no me resultaba desconocido. Iba acompañado de una muchacha. Mientras examinaba atentamente el caparazón, Ascylto reparó en que llevaba al hombro nuestra perdida túnica. Yo, por mi parte, quedé mudo de estupor al reconocer al campesino que la había encontrado en el bosque. Ascylto casi no podía creer lo que estaba viendo. Sin arriesgarse, se acercó al labrador y, con el pretexto de comprarla, tomó la túnica y la examinó atentamente.

XIII

¡Oh, admirable capricho de la fortuna! El labriego no había pasado sus manos por la túnica y, al ignorar su auténtico valor, estaba dispuesto a venderla como un trapo cualquiera. Al comprobar Ascylto que nuestro tesoro seguía intacto y que el campesino no tenía un aspecto temible, me dijo en un aparte:

—Ese hombre lleva todo nuestro tesoro en esa túnica. ¿Qué vamos a hacer? ¿Cómo reivindicamos lo que es nuestro?

Al oírlo, mi júbilo fue inmenso, no sólo por rescatar el oro, sino también porque el hallazgo me libraba de sus sospechas. Opiné que si el labriego no quería restituirnos la prenda, debíamos dar parte a la justicia, a fin de que nos la devolviera.

XIV

Ascylto no compartía mi opinión, temeroso de los curiales.

—¿Conocemos a alguien aquí? —me dijo—. ¿Quién querrá avalar nuestra declaración? Es difícil rescatar nuestro tesoro, que otro tiene, pero si podemos hacerlo con facilidad, no conviene meternos en un intrincado pleito, de dudoso final.

> Do reina sólo el oro, ¿a qué las leyes
> si no puede gozarlas la pobreza?
> Lo mismo que los cínicos, frugales
> que venden su honradez y su elocuencia
> al más caro postor, hacen los jueces
> vendiendo la justicia sin vergüenza.

Además, nada poseíamos, aparte de algunas monedas que destinábamos a la compra de lupinas. Por tanto, temiendo que escapara la presa, decidimos no pedir demasiado por el caparazón, seguros de ganar en una parte mucho más de lo que perdíamos en la otra. Pero nada más desplegamos el caparazón y lo examinó la mujer que acompañaba al campesino, comenzó a gritar que había dado con los ladrones. Nosotros, a la vez, aunque asustados por sus voces, indicamos que era nuestra la túnica que el labriego llevaba a la espalda. Pero la partida resultaba desigual. Los curiosos, atraídos por el escándalo, reían y se burlaban de nosotros al ver que una parte reclamaba un riquísimo caparazón y la otra una túnica vieja que ni siquiera merecía remendarse. Entonces, Ascylto consiguió acallar las risas y restablecer el silencio.

XV

—¡Vamos! —dijo—. Cada uno aprecia lo que es suyo. Que nos devuelvan nuestra túnica y les daremos su caparazón.

La propuesta satisfizo tanto al campesino como a su mujer, cuando dos ladrones disfrazados de oficiales de justicia, que deseaban apropiarse del caparazón, ordenaron en voz alta que se les entregaran los objetos en litigio, asegurando que los tribunales fallarían al día siguiente. Parece que averiguar quién tenía razón era lo de menos, con tal de que se desterrase a los ladrones. Iban ya a lograr su propósito, cuando apareció un hombrecillo calvo, con la cara llena de excrecencias carnosas, quien, apoderándose del caparazón, prometió presentarlo al día siguiente. Era, sin duda, un buscapleitos aliado de aquellos dos bribones, que buscaba quedarse con la rica prenda, sospechando que no nos atreveríamos a reclamarla por miedo a que nos acusaran de robo. Precisamente era esto lo que nosotros queríamos evitar. La suerte, sin embargo, vino a favorecernos a las dos partes, de un modo admirable. El campesino, ofendido de que se armara tanto ruido por aquel harapo, le arrojó la túnica a la cara de Ascylto y exigió que se entregase a un tercero el caparazón, quien lo guardaría hasta que él pudiera demostrar que era suyo. Nosotros, seguros de haber rescatado nuestro tesoro, nos fuimos a toda prisa al albergue, ebrios de júbilo y riéndonos de la habilidad que demostraron aquellos bribones de la justicia, así como de la parte contraria, que con tanto ingenio nos devolvieron nuestro dinero.

Estábamos descosiendo la túnica para sacar el oro, cuando oímos que alguien le preguntaba al posadero qué clase de gente eran los que acababan de entrar. No me agradó aquello y, apenas se fue el investigador, salí a averiguar el objeto de su visita. Nuestro anfitrión me explicó, en tono indiferente, que se trataba de un lictor de pretor[5] encargado de inscribir nombre y calidad de los viajeros en los registros públicos y que, al vernos entrar en la

_____

5. Lictor, funcionario romano encargado de anunciar la llegada de los cónsules, jueces y otras dignidades, a los que precedía siempre y que vigilaba el cumplimiento de sus órdenes. Su símbolo era el fascio. También eran llamados así ciertos magistrados o ministros de justicia.

posada, comprendió que éramos forasteros y quiso ponerse al corriente. No me satisfizo la explicación y, temiendo por nuestra seguridad, decidimos irnos del albergue y encargar a Giton que nos tuviera preparada la cena a nuestro regreso, ya bien entrada la noche. Salimos a pasear, evitando las calles más frecuentadas y buscando los barrios solitarios. En uno de éstos, vimos a dos mujeres de buen aspecto, cubiertas con unos velos. Las seguimos a cierta distancia, pero sin retrasarnos, hasta que entraron en una especie de templo, del que surgía un rumor profundo, como del fondo de un antro. La curiosidad nos impulsó a entrar en pos de ellas y nos encontramos con un tropel de mujeres desnudas, que, como las bacantes,[6] corrían de un lugar a otro blandiendo en sus diestras pequeñas estatuas de Príapo.[7] Nada más pudimos ver. Al darse cuenta de nuestra inesperada presencia, las mujeres prorrumpieron en tal grito que retembló la bóveda del templo. Quisieron apoderarse de nosotros, pero huimos veloces para refugiarnos en la posada.

XVI

Cenamos con tranquilidad, gracias a los cuidados de Giton, pero de improviso llamaron a la puerta con fuertes golpes. Aunque asustados y demudados, preguntamos:

—¿Quién va?

—Abrid y lo sabréis —nos respondieron.

Durante este breve diálogo, hicieron saltar la cerradura y,

---

6. Bacantes, sacerdotisas del dios Baco, quienes en un principio llevaban una vida irreprochable, como servidoras de su dios. Buscaban la santidad y mantener el culto a la vida. Más tarde, degeneraron y sus templos se convirtieron en lugares de orgía, que ellas mismas desencadenaban.

7. Príapo, dios de los campos y de la fertilidad. Se suponía que era el que empujaba a las mujeres a la lascivia. Sus adoradores se entregaban a toda clase de excesos. En las estatuillas se le representaba sólo de medio cuerpo para arriba.

franqueando el paso, apareció ante nuestros ojos una mujer cubierta con un velo. Entró. Se trataba de la compañera del hombre del caparazón.

—¿Creísteis reíros de mí? —dijo—. Yo soy la sirvienta de Quartilla, cuyos votos sagrados ante el altar turbasteis. Ella misma ha venido a hablaros. No va a acusaros por vuestro error ni pedirá que os castiguen. ¿Es que acaso va a mirar que dos jóvenes tan correctos penetren en sus dominios?

XVII

Nosotros callábamos, pues no sabíamos qué pensar de todo aquello cuando entró Quartilla, acompañada de una doncella, y, sentándose en mi lecho, rompió en un desconsolado llanto. Seguimos callados esperando, atónitos, a que concluyeran las lágrimas que el dolor provocó. Por fin, dejó de llorar, alzóse el velo, nos miró con altivez y; uniendo las manos con tal fuerza que crujieron las articulaciones, exclamó:

—¿Por qué fuisteis tan audaces? ¿Dónde aprendisteis el arte de robar? Me dais lástima, aunque ninguno sorprende impunemente el culto a nuestros dioses. En la actualidad, hay en esta región tantas divinidades protectoras, que resultan menos raras que los hombres. Sin embargo, no me ha traído aquí la venganza. Vuestra edad pesa más que vuestra injuria y prefiero considerarlo todo como una excusable imprudencia. He pasado la noche presa de escalofríos, que me hacen temer un ataque de tercianas, y busqué en el sueño remedio a mi dolencia. Los dioses, a través del ensueño, me ordenaron que me dirigiese a ti, ya que sabes el medio de curarme. Pero no es esto lo que más me preocupa. Me domina tal angustia que si no me alivias, va a producirme la muerte. Me horroriza pensar que, por vuestra juventud, reveléis los secretos que descubristeis en el templo de Príapo. ¡Os lo pido de rodillas! ¡Que por vuestra causa nuestro culto no se convierta en befa de toda la ciudad! No divulguéis nuestros antiguos misterios, que, incluso para muchos de los iniciados, deben seguir desconocidos.

XVIII

A estas fervientes súplicas, siguieron nuevas y abundantes lágrimas, así como grandes suspiros, que agitaban su pecho, mientras se abrazaba convulsa. Yo, presa a un tiempo de miedo y de compasión, procuré tranquilizarla, asegurándole que no descubriríamos el secreto de su culto, además de prometerle que, con la ayuda de los dioses, la curaríamos de sus tercianas, aunque nos costara la vida. La mujer recobró al instante su alegría, me besó apasionadamente, y saltando del llanto a la risa, me alisaba con las manos los cabellos.

—Firmo la paz con vosotros —dijo— y renuncio a querellarme. Pero, de negaros a ayudarme, mis vengadores están ya preparados y hubieran cobrado tanto la injuria a nuestros dioses, como la mía.

> Sufrir la ley es duro; no el dictarla:
> sólo un yugo me agrada: el mío propio.
> Grandes son los que olvidan las ofensas.
> El perdón es el triunfo más hermoso.

A este acceso poético, siguió inesperadamente una estrepitosa salva de aplausos, acompañada de inmoderadas risas, que nos asustaron. La sirvienta que primero nos había visitado imitó a su señora y también se oyeron las carcajadas infantiles y cristalinas de la doncella que acompañaba a Quartilla.

XIX

Mientras escandalizaban con su risa, nosotros intentábamos averiguar las causas de cambio tan brusco contemplando a las mujeres y mirándonos entre nosotros.

—Veamos —dijo Quartilla—, he dado órdenes para que no se admita á nadie en esta posada durante todo el día de hoy, de modo que puedas administrarme el remedio que necesito, sin temor a que nos importunen.

Al oírlo, Ascylto palideció, presa de gran turbación; yo quedé frío de estupor, incapaz de pronunciar una sola palabra. Sin embargo, me sentía algo tranquilizado por nuestra superioridad. Tres eran las mujeres, débiles por su sexo, y tres nosotros que, sin llegar a Hércules, pertenecíamos al sexo fuerte. No imaginábamos, sin embargo, un combate con fuerzas superiores y yo me tracé un plan por si se rompían las hostilidades. Hice colocar a Ascylto, junto a la sirvienta de Quartilla, quedándome yo frente a ésta, y puse a Giton junto a la muchacha. Mientras reflexionaba sobre la situación, Quartilla se me acercó, reclamándome el remedio para sus tercianas. Quedé sorprendido y ella, confundiendo el motivo de mi inmovilidad, abandonó furiosa el aposento, al que no tardó en volver acompañada de varios desconocidos, quienes nos cogieron con rudeza y nos llevaron a un magnífico palacio. La sorpresa nos hizo perder todo resto de valor y creímos que nuestra muerte estaba próxima.

XX

—Te ruego, señora —dije—, que si has decidido acabar con nosotros, lo hagas enseguida, pues nuestro delito no es de lós que merecen la tortura.

La sirvienta de Quartilla, que se llamaba Psiquis, se apresuró a tender en el suelo un elegante tapiz y con sus apasionadas caricias intentó despertar mis sentidos, mortalmente helados. Ascylto, que ocultaba la cabeza bajo el manto, se dolía de nuestra suerte, después de aprender a su costa lo peligroso de descubrir secretos ajenos. Mientras, Psiquis había tomado varias cuerdas, con las que nos ató fuertemente de pies y manos. Las ligaduras me entristecieron aún más.

—No es éste —le advertí— el mejor modo de cumplir los deseos de su señora.

—Déjame a mí —repuso la sirvienta—, que dispongo de un medio muy seguro de reanimaros.

Y luego, riendo locamente, trajo un vaso lleno de satirión,[8] del que me hizo beber, sin dejar de hablar con voluptuosidad, y, recordando la fría actitud con la que Ascylto acogió sus ataques, le derramó el resto sobre la espalda, sin que lo advirtiese siquiera. Al callar Psiquis, indagó Ascylto:

—¿Cómo es eso? ¿Acaso no soy digno de beber?

Ella, al oírme reír ante la pregunta de mi amigo, batió palmas y dijo:

—Joven, la bebida estaba a tu alcance y la apuraste solo.

—¿Entonces?—indagó Quartilla—. ¿Eumolpo no bebió satirión?

Reímos todos al oírla e incluso el propio Giton no pudo contener su hilaridad, hasta el punto de que la muchacha le echó los brazos al cuello y le cubrió de besos, lo que a él no le desagradó lo más mínimo.

XXI

Hubiésemos querido pedir auxilio, pero no había nadie que nos lo pudiera prestar, ni Psiquis me permitía movimiento alguno, pinchándome continuamente la cara con una horquilla, mien-

---

8. Satirión, planta a cuya semilla se atribuía el despertar de los instintos sensuales. Era un estimulante y, a la vez, un afrodisíaco.

tras la muchacha, con un pincel, iba empapando de satirión la piel de Ascylto. Para quebrarnos por completo, entró en la habitación uno de esos pervertidos que se prostituyen por dinero, ataviado con una túnica color mirto, arremangada hasta la cintura, y, mientras hacía indecentes contorsiones, nos cubría la cara de asquerosos besos, hasta que Quartilla, que presidía nuestra tortura armada de una verga, dio orden de que cesara el suplicio. Juramos por nuestras divinidades más sagradas no repetir a nadie el fatal secreto y entonces aparecieron en la sala unas cortesanas que nos frotaron el cuerpo con aceites perfumados. Nos reanimaron las fricciones y nos vestimos túnicas de gala, dirigiéndonos a la sala vecina. Allí nos esperaba un suntuoso festín y tres lechos junto a una mesa, espléndidamente servida. Nos acomodamos y comenzó la cena, rociada con delicioso vino de Palermo. Los exquisitos manjares y las abundantes libaciones nos empujaban al sueño.

—¿Cómo es eso?—indagó Quartilla—. ¿Os preparáis a dormir, en vez de rendirle culto a Príapo?

XXII

Como Ascylto comenzara a dormirse, sin hacer caso de la insistencia de Psiquis, ésta le fue enmascarando los labios y el rostro, que tiznaba de carbón, sin que el interesado, vencido por el cansancio, se diera cuenta. Yo también empezaba a gozar de las delicias del sueño, lo mismo que la servidumbre, tanto interior como exterior, que se tendía a nuestros pies o se recostaba en las paredes, revueltos todos, y juntando las cabezas. Incluso las luces buscaban el descanso, esparciendo pálidos y débiles resplandores, sin preocuparse de ahuyentar las tinieblas que invadían el triclinio. Entonces, dos sirios avanzaron a tientas por la sala, en busca de una botella de vino sobre una mesa repleta de vajilla de plata. Se la disputaron con tal encarnizamiento que derribaron todo el servicio. Una copa cayó sobre la frente de una de las sirvientas que dormía en mi lecho y el dolor le hizo lanzar tal grito que despertó al resto del servicio. Al verse descubiertos, los dos bribones se tendieron en el suelo y comenzaron a roncar para que se les creyese dormidos. Entró el mayordomo, reanimó las luces, que acabaron de despertar a los sirvientes, y aparecieron varias timbaleras que, con su ruidosa música, pusieron en pie hasta a los que más profundamente dormían.

XXIII

Los invitados volvimos al festín. Quartilla ordenó que trajesen más vino y el sonido de los timbales excitó nuevamente la alegría. Entonces, entró un lacayo, el más soso de todos y el único digno de aquella casa, quien, golpeando las manos y acompañándose a la vez, comenzó a cantar lo que sigue:

> Tended los pies, juntad los corazones;
> impúdicas y cínicos amaos;
> el placer nos convoca; libremente
> juntemos nuestros labios;
> brindemos voluptuosos por los goces
> del amor, que se impone soberano.

Al concluir, el inmundo me manchó con sus besos; tendiéndose en mi lecho y, sin que yo lo pudiera impedir, levantó la túnica que cubría mi cuerpo pretendiendo, con todas sus fuerzas, violentarme, aunque no lo logró. A causa del esfuerzo, la frente y las desnudas piernas se le inundaron de sudor, que corría por su piel formando ríos y dándole un aspecto de lo más repulsivo.

XXIV

No pude contener las lágrimas, dominado por la tristeza.

—¿Es eso, señora, lo que nos habéis prometido? —indagué.

Ella batió palmas alegremente.

—¡Hombre agudo —replicó—, qué airosa salida! ¿Qué esperabas? ¿Acaso te he prometido evitar que te forzasen?

—Por lo menos, corramos todos la misma suerte. Ascylto duerme con toda tranquilidad.

—Bien, que le llegue el turno a Ascylto—ordenó Quartilla.

Inmediatamente, mi jinete me dejó en paz, cambiando de montura, para importunar a mi amigo con sus impuras caricias. Giton, testigo de la escena, reía a carcajadas y Quartilla, que le estuvo examinando con atención, quiso saber de quién era criado el muchacho. Le dije que mío.

—¿Por qué no ha venido a buscarme? —indagó ella.

Le llamó, besóle lúbricamente, y, deslizando sus manos bajo la túnica, se complació en acariciar sus atractivos.

—Aquí —exclamó— tenemos un aperitivo de placer para mañana. Hoy me hace falta ún Hércules.

XXV

Al oírlo, Psiquis se acercó a Quartilla y le dijo algo al oído que no pude oír.

—¡Eso, eso!—respondió Quartilla—. Has pensado muy bien. ¿Qué mejor ocasión para que desvirguen a nuestra Pannyquis?

Tras estas palabras, trajeron a una niña muy hermosa, que no tendría más de siete años, y que era la misma que vino a la posada en compañía de Quartilla. Todos los asistentes comenzaron a aplaudir y a preparar apresuradamente cuanto era necesario para estas nupcias. Sorprendido, protesté, alegando que, por una parte, la timidez de Giton y, por otra, la edad demasiado tierna de la criatura, impedirían que el primero cumpliese virilmente y la segunda sostuviera el ataque.

—Así —explicó Quartilla— o quizá más joven era yo cuando me desvirgaron, pues no por salvar mi vida podría recordar si he sido virgen alguna vez. De niña, cohabitaba con muchachos de mi edad; adolescente, lo hice con hombres y así he seguido hasta hoy. Éste es, sin duda, el origen del proverbio que dice: «Quien soporta al novillo, al toro soportar podrá de fijo».[9]

Temí que a Giton le ocurriese alguna desgracia, por lo que decidí presenciar la ceremonia.

XXVI

Psiquis había ya engalanado a Pannyquis con el velo de desposada, el lacayo inmundo iniciaba con una antorcha la comitiva nupcial, seguido de una larga hilera de mujeres ebrias, que aplaudían con entusiasmo, y el lecho nupcial, que éstas habían dispuesto, esperaba a los esposos. De súbito, Quartilla, excitada por el ambiente voluptuoso, se puso en pie, agarró a Giton de un brazo y se lo llevó hasta el lecho. Al muchacho no parecía repugnarle la cosa, ni tampoco la chiquilla había protestado al oír la palabra nupcias. Nos detuvimos en el umbral de la sala, dejamos solos a los muchachos, para que se desenvolvieran con entera libertad, y la curiosa Quartilla les estuvo espiando por la entreabierta puerta, para no perderse la libidinosa escena. No tardó en llamarme, para que yo gozase también del espectáculo, y como nuestros rostros se tocaban, dejaba con frecuencia de mirar a la pareja para besarme furtivamente pero con pasión. Tan harto me sentía de las liviandades de Quartilla que sólo pensaba en librarme de ella por

---

9. Alude este refrán a una de las hazañas del atleta Milón de Crotona, quien debió cargar un novillo para llevarlo a varios lugares y, se acostumbró tanto a su peso, que seguía cargándolo cuando ya era un toro crecido.

medio de la huida y así se lo dije a Ascylto, quien aprobó la idea, como único modo de librarse de las exigencias de Psiquis. Nos habría sido fácil escapar, de no hallarse Giton en el cubículo, pues queríamos llevárnoslo para librarle de la lubricidad de aquellas meretrices. Mientras buscaba un modo de salir de allí, Pannyquis se cayó del lecho, arrastrando a Giton en su caída. No recibieron daño alguno, pero el susto hizo que la chiquilla comenzara a gritar y, mientras Quartilla, sobresaltada, corría a su lado, nosotros nos fuimos y, una vez en nuestra posada, nos dormimos muy pronto, descansando el resto de la noche. Al día siguiente, nos topamos con dos de nuestros raptores, a los que atacamos con furia. Ascylto hirió gravemente al suyo y, una vez le dejó tendido, vino en mi ayuda, pero no sólo no pudimos vencerle, sino que él huyó, después de herirnos levemente. Se acercaba el día fijado por Trimalcio, para libertar a unos esclavos, fiesta que celebraba con una espléndida cena. Regresamos a nuestro albergue y nos curamos las heridas con vino y aceite, tendiéndonos después en los lechos. Sin embargo, como uno de los raptores quedó moribundo en la calle, pasábamos mucha angustia y estábamos muy inquietos, pensando en el modo de conjurar la tormenta. De improviso, un criado de Agamenón vino a interrumpir nuestras lúgubres reflexiones.

—¿Es que no sabéis lo que hoy se hace? —exclamó—. Trimalcio, ese hombre opulento, que tiene junto al triclinio un reloj que le advierte por medio de un esclavo con bocina cuánto pierde de vida, os invita a cenar.

Al oírlo, olvidando nuestras penas, nos vestimos a toda prisa y Giton, que continuaba voluntariamente a nuestro servicio, recibió la orden de seguirnos al baño.

XXVII

Estuvimos paseando, muy contentos, y llegamos al fin a un lugar donde se congregaba la gente. En el centro, se encontraba un viejo calvo, ataviado, con una túnica roja, que jugaba a la pelota con varios esclavos jóvenes, de largos cabellos. Admirábamos la belleza de éstos y la agilidad del otro y vimos que en cuanto una pelota tocaba el suelo, se la desechaba. Un siervo, con una elegante cesta llena de pelotas, proporcionaba cuantas eran necesarias para el juego. Entre otras novedades vimos también a dos eunucos colocados en ambos extremos del campo, uno de los cuales sostenía un vaso de noche de plata y el otro contaba las pelotas que quedaban fuera de juego. Al vernos admirar tanta magnificencia, se acercó a nosotros Menelao

—Éste es —dijo— quien os invita. ¿Qué os parece? ¿No creéis que todo esto es un buen augurio de magnífica cena?

Iba a seguir Menelao, cuando Trimalcio castañeteó los dedos, a cuya señal se acercó el eunuco que sostenía la bacinilla. Trimalcio descargó en ella su vejiga, indicó por señas luego que se le trajese agua y se aclaró los dedos, que secó en el cabello del esclavo.

XXVIII

Fueron muchos los lujos singulares que nos prendieron. En cuanto entramos en el baño, nada más pasar el caliente que nos hizo sudar, se hicieron cargo de nosotros los masajistas. A Trimalcio le habían perfumado y los paños con los que le frotaban no eran de lino sino de lana muy suave. En su presencia, tres siervos escanciaban el Salerno y se disputaban quién bebería más, por lo que se derramaba bastante. Trimalcio les animó:

—Bebed, bebed a mi salud.

Le envolvieron en una toga escarlata y le colocaron en una litera, a la que precedían cuatro esclavos de magníficas túnicas y una silla de manos en que se representaban las delicias de Trimalcio por medio de un joven prematuramente envejecido y deforme. Mientras le conducían, se acercó un músico con una flauta e, inclinándose al oído de Trimalcio, como si fuera a revelarle algún secreto, comenzó a tocar, sin interrumpirse durante todo el camino. Les seguimos en silencio, admirados de tantas cosas, y llegamos en compañía de Agamenón a la puerta del palacio, en la que se leía la siguiente inscripción:

CUALQUIER ESCLAVO QUE SALIERA SIN PERMISO DEL SEÑOR SERÁ CASTIGADO CON CIEN AZOTES.

En el vestíbulo, hallábase el portero, ataviado con una túnica verde sujeta con un cinturón cereza, quien desgranaba guisantes en una fuente de plata. En una jaula de oro, suspendida del techo, un jilguero saludaba a los visitantes con sus alegres trinos.

XXIX

Iba yo admirándolo todo con la boca abierta, cuando vi, muy cerca de la puerta, un enorme perro encadenado y, sobre su caseta, esta advertencia escrita con mayúsculas: ¡MUCHO CUIDADO CON EL PERRO! Mis compañeros rieron ante mi miedo, pues las piernas me temblaban con sólo pensar que pasaría junto al can, que estaba pintado. Me rehíce y pasé a examinar los otros frescos que adornaban las paredes; uno de ellos representaba un mercado de esclavos, cada uno de los cuales llevaba sus títulos colgados del cuello, otro nos mostraba a Trimalcio entrando en Roma, con los cabellos al viento y el caduceo[10] en la mano, conducido por Minerva; en el

---

10. El caduceo era el emblema del dios Mercurio, patrón de los comerciantes y de los ladrones. Al representar a Trimalcio blandiéndolo, se le equipara al dios, en uno de sus dos aspectos.

siguiente se veía a este mismo tomando lecciones de filosofía y en el último ya le habían hecho tesorero. El pintor tuvo buen cuidado de ayudar la inteligencia del espectador con algunas inscripciones. En el extremo del pórtico, otro cuadro representaba al anfitrión sujeto de la barba por Mercurio, quien le colocaba en el sitio más alto de un tribunal; no lejos la Fortuna le ofrecía todos los dones de su enorme cuerno de la abundancia, y las tres Parcas iban tejiendo su destino con finísimo hilo de oro. Vi aún otro cuadro en el que unos esclavos se entrenaban en correr y a un lado del pórtico una gran alacena que guardaba un magnífico relicario, varios dioses lares de plata y una gran caja de oro que, según explicaron, contenía la primera barba de Trimalcio.

—¿Qué representan —indagué del portero— esas pinturas de la izquierda?

—La *Ilíada* y la *Odisea* —explicó, y a la izquierda, hay un combate de gladiadores.

XXX

No era posible apreciar como se merecían tantas obras excelentes. Al fin, llegamos a la sala del banquete, en cuyo umbral nos esperaba el mayordomo. Me sorprendió ver, sobre la puerta, dos águilas sobre hachas de acero y con una especie de espuelas en las garras, de las que pendía una placa de bronce, que decía, con letras muy grandes:

A CAYO POMPEYO, QUE SUFRIÓ, DIGNAMENTE, A CINNAMO, TESORERO DE TRIMALCIO.

Para iluminar bien la inscripción, se habían colocado a su lado dos lámparas y, en las jambas de la puerta, unas tablillas, una de las cuales según me parece recordar, decía:

El día III y las vísperas de las calendas de enero, nuestro señor Cayo cenó en esta casa.

En la otra aparecían representados el curso de la Luna, los siete planetas y los días fastos y nefastos, que se indicaban con puntos de diferentes colores. Aturdidos por tanta maravilla, íbamos a entrar en la sala del festín, cuando un esclavo, que estaba allí de guardia, nos advirtió:

—¡Con el pie derecho!

Tras una pequeña confusión y temiendo que alguno entrase con el izquierdo, hicimos todos como nos habían advertido, y, una vez dentro, otro esclavo se arrojó a nuestros pies, implorando misericordia. Su falta, según decía, era leve: dejó que se perdiese el traje del tesorero de Trimalcio, mientras aquél se encontraba en el baño. Nos aseguró el esclavo que el traje en cuestión no valía diez sestercios.[11] Siempre con el pie derecho, salimos del comedor, en busca del tesorero, que estaba contando oro, para pedirle que perdonase al esclavo.

—No me indigna tanto la pérdida —nos respondió— como la negligencia de ese siervo tan obtuso. El traje que ha perdido —continuó con cierto orgullo— era apropiado para las fiestas y un regalo que por mi cumpleaños me hizo uno de mis clientes. Os advierto que era de púrpura de Tiro, pero lo habían lavado varias veces. Pese a todo, ya no importa. Os doy al culpable.

XXXI

En cuanto volvimos al comedor, reconocido por tan gran beneficio, vino a nuestro encuentro el esclavo por quien había-

---

11. El sestercio era la unidad básica del sistema monetario de Roma. Por tanto, era una de las de menos valor.

mos rogado, quien agradeció nuestra intervención cubriéndonos de besos con gran sorpresa nuestra.

—Ahora veréis —dijo— que no habéis salvado a un ingrato. Soy yo el encargado de escanciar el vino.

Cuando por fin, después de tantos retrasos, nos colocamos ante la mesa unos siervos egipcios nos vertieron en las manos agua de nieve, al tiempo que otros nos lavaban los pies y, con admirable destreza, nos limpiaban las uñas, acompañándose con canciones. Curioso por saber si en esto último les imitaban los demás esclavos, pedí de beber y el que me lo sirvió, entonó un canto agrio y discordante, igual que el resto de la servidumbre, cuando se le pedía algo. Parecíamos estar ante un coro de histriones en vez de en el comedor de un padre de familia. Nos habían ya servido el primer plato, suculento por demás, y todos nos hallábamos a la mesa, menos Trimalcio, a quien se reservaba, según costumbre, el sitio de honor. En una fuente destinada a los entremeses, se veía a un pollino de bronce, fundido en Corinto, con una albarda, en uno de cuyos lados había aceitunas verdes y en el otro negras. En el lomo del animal, dos escudillas de plata tenían grabado el nombre de Trimalcio y el peso del metal. Arcos en forma de puente sostenían miel y frutas; no lejos, unas tarteras de plata contenían humeantes salsas, ciruelas de Siria y granos de granada.

XXXII

Nos sentimos deslumbrados por ese océano de delicias, cuando, a los acordes de una melodiosa sinfonía, entró Trimalcio en brazos de unos esclavos que, con cuidado, le depositaron en un lecho guarnecido de magníficos cojines. Ante aquella aparición imprevista, no pudimos por menos de echarnos a reír. Bajo el velo de púrpura, brillaba su cabeza calva, y al cuello ostentaba una riquísima servilleta, que le cubría, por delante, sus magníficos vestidos, y de la que pendían dos franjas, para protegerle los costados. En el meñique de la mano izquierda ostentaba un anillo dorado y, en la falange superior del dedo anular de la misma, otro anillo más pequeño de oro purísimo, por lo que pude ver, sembrado de estrellas de acero. Pero eso no era todo. Como para deslumbrarnos con sus riquezas, se adornaba el brazo derecho con un precioso brazalete de oro esmaltado con pequeñas láminas de marfil, excelentemente bruñido.

XXXIII

Mientras, con su alfiler de plata, se limpiaba los dientes, nos dijo:

—Amigos, de atender solamente mi gusto, no hubiera acudido tan pronto al banquete, pues me entretenía una partida que juzgo muy interesante, pero no quiero retrasar vuestros placeres con mi ausencia. ¿Me permitís, no obstante, que concluya el juego?

Le acompañaba un niño que sostenía un tablero de damas de teberinto y con las casillas de cristal, sorprendiéndome mucho que, en vez de los peones normales, blancos y negros, jugaban con monedas de plata y oro. Mientras él, jugando, se apoderaba de todos los peones de su adversario, nos sirvieron una fuente en la que se veía una gallina tallada en madera que, con las alas muy extendidas, parecía empollar un huevo. A los acordes de la eterna cantinela, dos esclavos se aproximaron y, revolviendo en la paja, sacaron unos huevos de pava real, que fueron distribuyendo entre los invitados. Esto hizo volverse a Trimalcio:

—Amigos —exclamó—, no creo que una gallina empolle huevos de pava. Pero, ¡por Hércules!, que puede haber sucedido. Vamos a ver si pueden comerse.

Se nos sirvieron entonces unas cucharas que pesarían por lo menos media libra y abrimos los huevos, cubiertos de una ligera capa de harina, que imitaba la cáscara a la perfección. Yo estuve a punto de tirar el mío, pues me pareció que en el interior se movía el pollo, cuando un viejo parásito me comentó:

—No sé lo que habrá aquí dentro, pero debe de ser bueno.

Lo examiné mejor y descubrí que era un papafigo, oculto entre yemas de huevo deshechas.

XXXIV

Trimalcio dio por concluido el juego y se hizo servir de todos los manjares que comimos nosotros, advirtiéndonos en alta voz que si alguno deseaba variar de vino o seguir con el mismo, que lo dijese con entera franqueza.

A continuación, y a una nueva señal, se reanudó la música. En el ajetreo del servicio, se cayó al suelo una bandeja de plata y un esclavo muy joven, deseando hacer méritos, fue a recogerla. Al darse cuenta Trimalcio, hizo que le dieran al chiquillo un fuerte bofetón por su exceso de celo, ordenando que dejase la bandeja donde había caído para que los sirvientes la barriesen con los otros desperdicios.

Seguidamente, entraron dos etíopes de largas cabelleras, cargados con dos pequeños cubos, parecidos a los que se emplean en el circo para regar la arena, y, en vez de agua, nos echaron vino en las manos. Como todos elogiábamos con entusiasmo este lujo exagerado, dijo nuestro anfitrión:

—Marte ama la igualdad. —En consecuencia, pidió que cada invitado se sirviese a sí mismo, añadiendo—: De este modo, los esclavos, que no deben quedarse aquí, nos molestarán menos.

Seguidamente, trajeron unos frascos de cristal cuidadosamente lacrados del cuello; de cada uno pendía una etiqueta con la siguiente inscripción:

ÓPTIMO SALERNO DE CIEN AÑOS

Mientras lo leíamos, Trimalcio, muy satisfecho, batió palmas exclamando:

—¡Ay!... Entonces, es cierto que el vino vive más que el hombre. El que os ofrezco es verdaderamente óptimo. El que serví ayer no era tan bueno, aunque me acompañaban personas mucho más ilustres.

Al tiempo que, sin dejar de beber el delicioso néctar, nos admirábamos aún más del lujo del banquete, un esclavo colocó sobre la mesa un esqueleto de plata, tan bien hecho, que se podían mover en cualquier sentido las vértebras y articulaciones. El servidor hizo mover el mecanismo dos o tres veces, para que el esqueleto tomase diversas actitudes, mientras Trimalcio declamaba estos versos:

> ¡Ay de nosotros, miseros! ¡Qué corta,
> frágil y deleznable es la existencia!...
> Un paso de la tumba nos separa...
> ¡Vivamos, pues, con el placer por lema!

Interrumpió esta especie de alegoría la llegada del segundo servicio, al que todos volvimos los ojos y que no correspondía a la magnificencia que esperábamos.

Pronto, sin embargo, nos llamó la atención una especie de globo, en torno al que estaban representados los doce signos del zodíaco, ordenados en círculo. Encima de cada uno, se habían colocado manjares que, por su forma o por su naturaleza, estaban de algún modo relacionados con estas constelaciones: sobre *Aries,* hígado de carnero, sobre *Tauro,* una loncha de buey, sobre *Géminis,* riñones y testículos; sobre *Cáncer,* una corona; sobre *Leo,* higos de África; sobre *Virgo,* una matriz de cerda; encima del signo de *Libra,* unas balanzas que en un platillo tenían una torta y en el otro una galleta; sobre *Escorpión,* un pescado; sobre *Sagitario,* una liebre; sobre *Capricornio,* una langosta; una oca sobre *Acuario* y dos truchas encima de *Piscis.* En el centro de este globo, un artístico prado de mullido césped sostenía un rayo de miel. Un esclavo egipcio, dando vueltas a la mesa, nos ofrecía pan caliente, recién sacado de un horno de plata, al tiempo que de su ronca garganta brotaba un extraño himno a no sé qué divinidad. Nos disponíamos, con harta tristeza, a atacar esos groseros manjares, cuando nos advirtió Trimalcio:

—Creedme y comed, pues tenéis ante vosotros lo mejor de la cena.

XXXV

Apenas hubo pronunciado estas palabras, cuando, al son de la música, cuatro esclavos se abalanzaron sobre la mesa y, bailando, quitaron la parte superior del globo. Quedó ante nuestros ojos un nuevo y espléndido servicio: aves asadas, una teta de cerda, una liebre con alas en el lomo, remedando a Pegaso,[12] etc. Cuatro sátiros en las esquinas del arcón sostenían unos odres, de los que salía agua que iba engrosando el estanque y formando olas por las que nadaban auténticos peces. A la vista de tanta maravilla, aplaudieron los esclavos y nosotros les imitamos, atacando con júbilo unos manjares tan exquisitos. Trimalcio, tan encantado como nosotros de la sorpresa que había preparado su cocinero, exclamó:

—¡Trincha!

El mayordomo le obedeció al punto, cortando todas las viandas, al compás de la música, con tal precisión que se le hubiese tomado por un auriga que recorría la arena del circo a los sones de un órgano. Trimalcio no cesaba de decir, con las más dulces inflexiones de voz:

—¡Trincha! ¡Trincha!

---

12. Pegaso, el caballo alado, nació de la sangre de la gorgona Medusa y se convirtió en la montura de las Musas, que con él transportaban a la fama a los grandes artistas.

Sospeché que había alguna broma en aquella palabra que tanto repetía y le pregunté a mi vecino, que frecuentaba mucho la casa.

—¿Ves —repuso— al encargado de trinchar? Pues se llama Trincha y cada vez que Trimalcio dice: «Trincha», al mismo tiempo le llama y le da órdenes.

XXXVI

Incapaz ya de probar bocado, me volví al mismo comensal, para distraerme hablando con él y, tras unas cuantas preguntas, sin más objeto que iniciar la conversación, le pregunté quién era una mujer que durante toda la noche no dejó de ir de un lado para otro.

—Es la esposa de Trimalcio —me dijo— que se llama Fortunata y mejor nombre no podía tener, pues ha sido muy afortunada.

—¿Cómo es eso?

—Lo ignoro. Sólo puedo decirte que antes no hubiese recibido de ella ni el pan. Ahora, no sé cómo ni por qué razón, es la mujer de Trimalcio, quien no ve más que por sus ojos, hasta tal punto que si a mediodía le dijese que era de noche, lo creería sin dudarlo. Trimalcio no sabe cuánto tiene, pero ella cuida y administra con celo toda su fortuna y se encuentra siempre donde no la esperan. Sobria, prudente, de gran inteligencia, tiene, sin embargo, una lengua viperina, que corta como una espada. Cuando ama, ama, pero cuando odia, odia de verdad. Trimalcio posee vastísimos dominios, que cansarían las alas de un milano que quisiera recorrerlos. Amontona el oro de tal manera, que hay más dinero en su portería del que cualquier otro reúne con todo su patrimonio. De los esclavos, ¡por Hércules!, no creo que conozca ni la décima parte, pero todos le temen hasta el punto de que, a una señal suya, se meterían en una ratonera.

XXXVII

»No tiene necesidad, en contra de lo que podías haber supuesto, de comprar nada, pues nada le falta en sus dominios: lana, cera, mostaza e incluso leche de gallinas podría servirte, de antojársele. Sus ovejas le daban una lana bastante mala e hizo traer carneros de Tarento, para mejorar sus rebaños. Para tener miel ática, hizo traer abejas de Atenas, confiando en que al mezclarlas con las suyas mejorarían sus enjambres. Hace poco, hizo escribir a la India pidiendo semillas de setas y las mulas de su establo son todas hijas del onagro. ¿Ves esos lechos? Pues ni uno solo encontrarás cuya lana no esté teñida de púrpura o de escarlata. ¡Tal es la dicha de ese hombre!

»Además, no vayas a despreciar a sus libertos. Todos nadan en la opulencia. Fíjate en el del extremo de la mesa. Hoy posee unos ochocientos sestercios dobles. Salió de la nada y cargaba leña para poder vivir. Dicen, aunque yo no lo sé, que tuvo la suerte de apoderarse del gorro de un íncubo[13] y allí encontró el tesoro. Si algún dios le ha hecho ese regalo, yo no lo envidio. No deja de ser, a pesar de todo, un liberto muy reciente; pero le aprecio. Hace poco, hizo grabar esta inscripción en la puerta de su casa:

CAYO POMPEYO DIÓGENES
ALQUILA LA CASA DESDE LAS CALENDAS DE JULIO
PORQUE QUIERE COMPRARSE OTRA

—¿Quién ocupa la otra plaza destinada a los libertos? ¡Sabe cuidarse bien!

—No se lo reprocho. Había ya doblado su patrimonio, cuando le fueron los negocios por mal camino y en la actualidad no le pertenece ni uno de los cabellos de la cabeza. Pero, aclaremos que

---

13. En la mitología romana, los íncubos eran los genios que guardaban los tesoros ocultos en la tierra y de los que conocían el secreto. Tenían una gran afición a perseguir mujeres.

no es culpa suya, pues no hay hombre más honrado. La culpa es de algunos bribones que le despojaron de todo. Por desgracia, cuando se vuelca la marmita y se pierde la fortuna, desaparecen todos los amigos.

—¿Cuál era su ocupación antes de la desgracia?

—Empresario de pompas fúnebres. Solía comer mejor que un rey. En su mesa se servían jabalíes enteros, pasteles, aves, ciervos, pescados y liebres. Derramaba más vino en su mesa que el que hay en muchas bodegas.

—Resulta fantástico.

—Cuando se torcieron sus negocios, temiendo que los acreedores le censurasen por sus lujos, hizo fijar este cartel en su puerta:

CAYO PRÓCULO
VENDERÁ AL MEJOR POSTOR CUANTO DE SUPERFLUO
HAYA EN SU CASA

XXXVIII

Una vez retiraron el segundo servicio, Trimalcio interrumpió la agradable conversación que, excitados todos por el vino, se había generalizado.

—Bebed —dijo— para cobrar nuevas fuerzas, hasta que los pescados que hemos comido puedan nadar en vuestros estómagos. Os pido, no obstante, que no creáis que me contento con los manjares que nos han servido. ¿No conocéis a Ulises? ¿Cómo es posible? Me parece muy oportuno que mezclemos los placeres de la mesa con el de las disertaciones más profundas. ¡Que las cenizas de mi protector reposen en paz! A él le debo poder representar el papel de hombre entre los hombres. Por tanto, no debe sorprendernos como novedad cuanto se sirva. Así, queridos amigos, os debo explicar la alegoría que encierra ese globo que acaban de llevarse. El cielo es la morada de esas doce divinidades, de las que sucesivamente toma forma. Tan pronto se halla bajo la influencia de *Aries*, y cuantos nacen al amparo de tal constelación poseen numerosos rebaños, lana en abundancia, siendo testarudos, descarados y farsantes. Es un signo que preside con frecuencia el nacimiento de estudiantes y oradores (*aquí aplaudimos con entusiasmo la ingeniosa sutileza de nuestro anfitrión y astrólogo*). Tan pronto bajo la de *Tauro* que viene inmediatamente a gobernar el cielo. Nacen en ese período los libertinos, los glotones y los borrachos; todos cuantos sólo buscan satisfacer sus apetitos más brutales. Los que nacen en la época en que impera *Géminis*, buscan emparejarse como los caballos del carro, como los bueyes de la carreta, los dos órganos generadores, que por un igual enardecen a ambos sexos. Como yo nací bajo la adoración de *Cáncer* y, lo mismo que ese anfibio, marcho con varios pies, extendiéndose mis propiedades por los dos elementos, he colocado una corona sobre ese signo, para no desfigurar mi horóscopo. Los grandes comedores y los ambiciosos de dominio nacen bajo *Leo*; bajo *Virgo*, las mujeres, los afeminados y los gandules destinados a la esclavitud; son de *Libra* los carniceros, los perfumistas y cuantos venden mercancías al peso; los envenenadores y asesinos, bajo *Escorpión*; de *Sagitario*, los bisojos que parecen mirar las legumbres y se llevan el tocino; de *Capricornio*, los farderos cuya piel se endurece con el trabajo; *Acuario* vela por los tenderos y por todos aquellos a quienes se les han vuelto los sesos agua; y *Piscis* preside a los cocineros y oradores. Así, el mundo va dando vueltas como una muela y siempre hace daño a los hombres que nacen y mueren. Tampoco el césped que se ve en medio del globo ni el rayo de miel se han hecho sin una razón. La Madre Tierra, redonda como un huevo, situada en el centro del universo, tiene en sí misma cuanto bueno existe, como la miel.

XXXIX

Todos los invitados le aclamamos, alzando las manos al cielo y afirmamos que ni Hiparco[14] ni Arato merecían compararse a Trimalcio. Entraron entonces nuevos sirvientes que extendieron sobre nuestros lechos tapices bordados con escenas de caza. No comprendimos su significado, pero de repente oímos unos fuertes ladridos y varios perros de gran tamaño, de Laconia,[15] irrumpieron en la estancia, para correr en torno a la mesa. Les seguían dos esclavos sosteniendo una fuente en la que se erguía un enorme jabalí, tocado con un gorro de liberto, de cuyos colmillos pendían dos cestillos de palma: uno lleno de dátiles de Siria y otro de Tebaida. Dos lechones, de pasta cocida, situados a ambos lados del animal, parecían colgarse de sus mamas, como para indicarnos el sexo del jabalí. Los invitados a quienes se les ofreció consiguieron permiso para conservar los jabatos. Esta vez no fue el Trincha, a quienes antes vimos actuar, el encargado de hacer la disección del jabalí, sino un mocetón de larga barba, vestido de cazador, quien, con un cuchillo que sacó de la cintura, rajó el vientre del animal, del que salió un tropel de tordos que en vano intentaban escapar en todas direcciones, pero a los que atraparon los esclavos, que los iban ofreciendo a los invitados, mientras Trimalcio decía:

—Mirad, parece que ese glotón jabalí hubiera engullido todo el ornato de la selva.

Luego, los servidores vaciaron las canastillas que pendían de los colmillos y nos distribuyeron, a partes iguales, los dátiles de Siria y de la Tebaida.

---

14. Hiparco era un filósofo pitagórico, que gozó de gran estima y respeto.
15. La Laconia era una provincia del Peloponeso.

XL

Mientras, aislado del resto de comensales, me entregué a un cúmulo de reflexiones sobre el motivo de que se adornase al jabalí con un gorro de liberto. Tras pensar y rechazar mil hipótesis, decidí preguntárselo a mi vecino.

—Cualquier esclavo lo habría podido explicar —me dijo—. No es un enigma, sino algo muy sencillo. El mismo jabalí se sirvió ayer al final de la cena y los invitados, hartos ya, lo rechazaron sin quererlo probar. Esto era devolverle su libertad, por lo que hoy aparece con ese gorro.

Avergonzado por mi ignorancia, no quise seguir preguntando, temiendo pasar por un hombre que no frecuentaba la buena sociedad. Durante el anterior diálogo, un joven y hermoso esclavo, coronado de pámpanos, merodeaba en torno a los invitados, ofreciéndoles uvas y dándose a sí mismo los nombres de Bromio, Lyeo y Eubio, mientras con voz aguda entonaba una canción, cuyos versos compusiera su dueño. Éste, al oírlo, se volvió para decirle:

—Dionisio, sé libre.

El esclavo le quitó el gorro al jabalí y se lo puso. Entonces, Trimalcio, satisfecho, añadió:

—Reconoceréis que he hecho libre a mi padre.

Le aplaudimos la frase a Trimalcio y todos besamos al joven esclavo manumitido.

El anfitrión se fue, para satisfacer una imperiosa necesidad, y, libres del importuno tirano, se reanimó nuestra charla. Uno de los invitados pidió uvas al joven.

—El día —dijo— no es nada. Apenas tiene uno tiempo de volverse cuando ya vino la noche; por tanto, lo mejor es pasar del lecho a la mesa. Casi no se ha refrescado uno y no precisa del baño para reaccionar. Por tanto, una bebida caliente es el mejor abrigo. He bebido demasiado y no sé lo que digo. El vino me nubla la cabeza.

XLI

Seleuco le interrumpió, para tomar la palabra.

—Yo tampoco me baño a diario. Eso sólo lo hacen los locos. El agua tiene agudos dientes que poco a poco van royendo nuestro organismo. Pero cuando he bebido bien, me río del frío. Hoy no he podido bañarme porque tuve que asistir al entierro de un buen amigo, del excelente Crisanto, recién fallecido. Hace aún muy poco que me llamaba y me parece estar aún hablando con él. ¡Ay! No somos más que odres bien repletos. Somos aún más insignificantes que las moscas, pues éstas, por lo menos, tienen algunas cualidades. Nosotros sólo somos glóbulos. ¿Qué sucedería si no nos abstuviéramos? Durante cinco días no entró en su boca ni una gota de agua ni una miga de pan y, sin embargo, ha muerto. Le perdieron los muchos médicos o, más bien, fue su destino adverso, ya que los médicos sólo pueden levantar los ánimos. De todos modos, hay que reconocer que se le ha enterrado con los mayores honores, sobre su lecho de festín, envuelto en su mejor túnica, seguido por un largo cortejo de plañideras. Se libertó a bastantes esclavos pero, no obstante, su esposa ni siquiera simuló derramar algunas lágrimas. ¿Qué habría hecho de no darle él tan excelente trato? Pero, pensemos, ¿qué son las mujeres? No hay que hacerles bien alguno, porque, lo mismo que los milanos, no lo agradecen. A su juicio, un amor antiguo es igual que una cárcel.

XLII

Entonces intervino Filero.

—Pensemos en los vivos. Crisanto ha tenido la suerte que merecía. Vivió honrado y honradamente le enterraron. ¿De qué puede quejarse? Carecía de todo cuando empezó y hubiese cogido un regalo con los dientes, en medio de un estercolero. Así fue creciendo, igual que la espuma. Puedo asegurar, ¡por Hércules!, que ha dejado cien mil sestercios, en dinero contante y sonante. Pero también, con toda franqueza y sinceridad, debo decir que era áspero de palabras, parlanchín y aficionado a la discusión y a las peleas. Su hermano, por el contrario, era hombre de corazón, amigo de sus amigos, de mano abierta y mesa dispuesta para todos. Al principio, le fue muy mal, pero se rehízo con la primera cosecha, pues vendió el vino como quiso, pero una herencia acabó de enderezarle, pues supo sacarle mucho más partido del que le correspondía. Por eso se pelearon los dos hermanos, legando Crisanto a un tercero cuanto tenía. Mucho se aleja quien se aparta de los suyos, pero, como escuchaba a sus esclavos como el oráculo, ellos lo consiguieron. Nunca obra discretamente el que se deja persuadir con facilidad, sobre todo si es comerciante. Sin embargo, supo hacer buenos negocios, aunque alguna vez recibió lo que no le correspondía. Fue siempre un mimado de la fortuna; en sus manos, el plomo se convertía en oro y todo le salía a su gusto. ¿Qué edad imagináis que tenía al morir? Pues más de setenta años, pero su salud era de hierro y no los representaba. Su cabello seguía tan negro como el cuervo. Yo siempre le conocí muy silencioso e incluso de viejo hacía sus correrías, sin respetar sexo ni edad. ¡Por Hércules! ¿Quién se atrevería a censurarlo? El placer gozado es todo cuanto nos llevamos a la tumba.

XLIII

Todo esto dijo Filero y Ganímedes continuó:

—Cuanto habéis contado, no interesa ni al cielo ni a la tierra y, sin embargo, no os preocupa el hambre que nos amenaza. ¡Por Hércules! Hoy no he podido encontrar pan. ¿Y cuál es la razón? Porque persiste la sequía y me parece ya que hace un año que estoy ayunando. Los ediles, ¡maldición sobre ellos!, se entienden con los panaderos; sírveme y yo te serviré. Y el pueblo bajo padece para que esas sanguijuelas se permitan sus saturnales.[16] ¡Si aún tuviéramos aquellos leones que vi aquí al volver de Asia! Entonces se vivía. Lo mismo ocurrió en el interior de Sicilia; también allí la sequía estropeó las mieses, de un modo que parecía que pesara en aquellos campos la maldición de Júpiter. Sin embargo, aún vivía Safinio, al que recuerdo muy bien pese a no ser yo más que un niño. Vivía cerca del acueducto viejo y, más que un hombre, semejaba un aquilón, que todo lo devastaba a su paso. Pero era recto, sincero, buen amigo, leal, honrado y noble. ¿Le recordáis en el foro? Trituraba a sus adversarios, como en un mortero y no andaba con circunloquios ni rodeos. Iba derecho al grano, hablando claro y con firmeza. Cuando se levantaba en los estrados, su voz se hacía sonora, como si empleara una bocina, y ni sudaba ni escupía. Creo que tenía un temperamento asiático. ¡Y qué amable era! Siempre devolvía el saludo, llamando a cada uno por su nombre, igual que todos lo hacemos. Así, mientras fue edil, los alimentos casi iban regalados. Los hambrientos no podían comerse un pan de dos óbolos;[17] ahora el que nos venden por ese precio, no es mayor que el ojo de un buey. ¡Cada día estamos peor y este país marcha hacia atrás! ¿Cómo iba a ser de otro modo? Por edil, hay un hombre que vendería nuestras vidas a cambio de una propina. De este modo aumenta su hacienda y en un día gana más dinero del que otros han tenido como patrimonio. Yo sé de algún negocio que le ha valido mil denarios de oro. Pero si nosotros tuviéramos un poco de sangre en las venas, no se atrevería a tratarnos así. Ahora, el pueblo se muestra león en su casa y zorra en la calle. Yo me he comido ya el precio de mis vestidos y, de continuar la escasez, tendré que vender todos mis muebles. ¿Cuál

16. Las Saturnales eran las fiestas en honor del dios Saturno, gran ocasión de alegría y jolgorio. En un principio, las celebraba el pueblo, con una especie de romería, pero luego se hicieron oficiales. En esas ocasiones nadie trabajaba y no había diferencias.

17. El óbolo era una moneda griega, que constituía la sexta parte de un dracma.

va a ser nuestro porvenir si ni los dioses ni los hombres se apiadan de esta ciudad? Así me valga el cielo, pero creo que todo es debido a la impiedad actual. Nadie piensa ya en los dioses ni se acuerda de ayunar. Nadie hace caso de Júpiter, pero, con los ojos muy abiertos, cuentan su dinero. Antes, las mujeres iban descalzas y despeinadas, cubiertas por un velo, puras de alma, a implorar a Júpiter para que lloviese y nada más caía el agua a torrentes, comenzaban todos a gritar de júbilo. Esto ya no ocurre; los dioses, olvidados en sus templos, tienen los pies envueltos en lana, igual que ratones, y, como no somos piadosos, los campos mueren.

XLIV

—Te suplico —intervino Equión, hombre de pobre aspecto— que hables con más respeto. Todo no es más que dicha o desdicha, como dijo el labriego que había perdido varios cerdos. Lo que no sucede hoy, sucederá mañana; es ley de vida. No, ¡por Hércules!, no encontramos otro país mejor que éste, si lo habitan hombres. Si ahora sufre, no es el único. No seamos tan delicados, que el sol luce para todos. De hallarte en otro sitio, imaginarías que aquí se repartían cerdos cocidos por las calles. Dentro de tres días, presenciaremos un soberbio espectáculo: un combate, pero no de simples gladiadores. De libertos. Y Tito, mi señor, que es hombre magnánimo, calvo, y al que conozco muy bien, pues pertenezco a su casa, nos hará ver cosas sorprendentes. No se trata de farsas. A los luchadores, se les darán hierros bien afilados y no se les permitirá huir, de modo que en el circo veremos una verdadera carnicería. Tito puede hacerlo, ya que heredó de su padre treinta millones de sestercios. Aunque llegara a derrochar cuatrocientos mil, no iba a resentirse y, por ese motivo, se le conocerá siempre como hombre generoso. Ya tiene preparados los caballos y el auriga del carro y ha tomado al tesorero de Glicón, a quien éste sorprendió en los brazos de su esposa. Os reiréis al ver cómo el pueblo toma partido por lo que no es más que un asunto íntimo, inclinándose los unos a favor del marido burlado y los otros del amante. Glicón, que es un sestercio de hombre, estaba tan furioso que hizo arrojar a su tesorero a las fieras. Era pregonar el escándalo. Además, ¿quién sabe si el tesorero no tuvo más culpa que obedecer las órdenes de su señora? Más merecía ella que la descuartizasen los toros; pero quien no puede pegar al asno, le pega a la albarda. ¿Cómo podía esperar Glicón que fuese buena y honrada si es hija de Hermógenes?[18] Pretender otra cosa, era lo mismo que irle a cortar las uñas a un milano en pleno vuelo. Lo que se hereda no se roba. Glicón quiso cegarse a sí mismo, por lo que, mientras viva, llevará un estigma que sólo las Parcas borrarán.[19] Menos mal que se trata de faltas personales. Pero, ya de antemano, saboreo el banquete con el que nos va a obsequiar Mamea,[20] que me dará dos denarios de oro, para mí y para mi familia. ¡Y ojalá que Mamea, si esto hace, suplante a Norbano[21] en el favor del público y marche en vuelo rápido hacia la fortuna. ¿Qué le debemos a Norbano? Ha ofrecido una fiesta de decrépitos gladiadores, a quienes un soplo derribaba. Yo he visto a atletas mucho más temibles, morir devorados por las fieras a la luz de las antorchas. Pero sus luchas parecían riñas de gallos. Uno estaba tan gordo que casi ni podía moverse; otro era patizambo y un tercero, que reemplazaba al que murió, estaba casi lo mismo, pues tenía cortados los nervios. Sólo uno de ellos, tracio de nación, tenía buen aspecto, pero se hubiera dicho que peleaba al dictado. Al final, se hicieron rasguños para salir del paso, pues eran gladiadores

---

18. Se supone que en este caso, se trata de alguna personalidad conocida y poco elogiable, contemporánea del autor. Los Hermógenes famosos, como el arquitecto de Alabanda, o el cantante de Sardes, son anteriores o posteriores a él. Son estas referencias a personajes contemporáneos lo que hace suponer que el autor pretendía divertirse y divertir al público a costa de los demás.

19. Las Parcas representaban la muerte. Eran tres hermanas, Cloto, Atropos y Laquesis, que iban tejiendo y cortando los hilos de la vida.

20 y 21. Sin duda personajes populares en su época. Véase nota 18.

de farsa. Y cuando salíamos del circo, se atrevió a decirme Norbano: «Os he dado un buen espectáculo». «Y yo he aplaudido», repuse. «Haz la cuenta y verás que te he dado más de lo recibido. Una mano tapa la otra.»

XLV

Me parece oírte decir, Agamenón: «¿Qué está clamando ese orador inoportuno?». Y yo te pregunto por qué no lo haces tú, que tan bien hablas. Tienes más instrucción que nosotros y te burlas de nuestros estudios. Sabemos que te enorgulleces de tu mucha sabiduría, ¿Por qué? Acaso pueda convencerte algún día para que vengas al campo a visitar nuestra casita; habrá algo bueno para comer, pollos, aves... No lo pasaremos mal, aunque este año las tempestades han destrozado la cosecha, pues algo habrá para satisfacer nuestro apetito. Por cierto, que ya está muy crecido mi Cícaro, tu discípulo; sabe ya cuatro partes de la oración. Si vive, le tendrás a tu lado como esclavo, pues en cuanto tiene un descanso ni levanta la cabeza del libro. Es ingenioso y obediente. Le apasionan las aves. Ya le he matado tres cardelinas, simulando que se las había comido el hurón. Sin embargo, ha conseguido otras. Le gusta mucho hacer versos. Ha dejado el griego y se aplica ahora en el latín, aunque tiene por maestro a un pedante voluble, sin constancia para nada. No le falta talento, pero se niega a trabajar. Su otro maestro, aunque no es un pedagogo sino un erudito, enseña con cuidado lo que sabe mal. Viene a mi casa los días de fiesta y se conforma con lo que le doy. Hace poco, le compré a mi hijo unos libros de derecho, pues quiero que tenga sus nociones para dirigir bien la casa. ¡Cada uno debe ganarse el pan! No tiene inclinación por las letras. Tengo el propósito de que, si aprovecha bien el tiempo, aprenda una profesión útil, como la de barbero, pregonero, o por lo menos abogado; en fin, un oficio de esos que sólo la muerte puede hacer perder. Por tanto, a diario le repito: «Hijo mío, créeme; lo que aprendes, para ti lo aprendes. Mira al abogado Filero. De no haber estudiado, hoy se moriría de hambre. Hace muy poco, nada tenía y, en cambio, hoy rivaliza en fortuna con el mismo Norbano. La ciencia es un tesoro y quien posee un oficio nunca muere de hambre».

XLVI

Así conversábamos, cuando entró Trimalcio, quien se enjugó la frente, se lavó las manos con perfume y, a continuación, dijo:

—Dispensadme, amigos. Hace ya muchos días que el vientre no me funciona con regularidad y los médicos no descubren la causa. Algo me ha mejorado, sin embargo, una infusión de corteza de granada y de acederas en vinagre. Confío en que se disipará la tormenta que rugía en mis entrañas. De otro modo, mi estómago retumbará con ruidos semejantes a los mugidos de un toro. Por tanto, si alguno sufre de la misma dolencia, hace mal en reprimirse, pues a nadie respeta ese mal. No concibo tormento mayor que el de contenerse. El propio Júpiter nos ordenaría en vano un esfuerzo semejante. ¿Te ríes, Fortunata? Pues con frecuencia no me dejas dormir en toda la noche a causa de tus flatos. He dado siempre entera libertad a mis invitados, pues hasta los médicos prohíben contenerse, y si se trata de algo más, quien lo necesite encontrará una silla, agua y un guardarropa completo. Hacedme caso. Cuando el flato se reconcentra al cerebro, se resiente todo el cuerpo. Sé de muchos que perecieron, mientras intentaban contenerse.

Dimos gracias a nuestro anfitrión por su liberalidad e indulgencia, al tiempo que reíamos para que no nos sofocase, al intentar contenerla. Ni siquiera sospechábamos que sólo estábamos a la mitad de tan espléndido festín. Sin embargo, poco después, en cuanto desocuparon la mesa, vimos entrar a tres cerdos blancos, enmantados y con cascabeles, al compás de la música. El esclavo que los conducía nos hizo saber que uno tenía dos años, el otro tres y el tercero era más viejo. Al verlos, imaginé que serían cerdos amaestrados, que iban a mostrarnos sus habilidades, pero Trimalcio disipó nuestras dudas, al preguntar:

—¿Cuál de los tres queréis comer? Los cocineros del campo están guisando un pollo, un faisán y otras bagatelas, pero los míos están asando una vaca.

Hizo llamar al cocinero, sin aguardar nuestra decisión, para ordenarle que matase al cerdo más viejo y, alzando la voz, le preguntó:

—¿A qué decuria perteneces?

—A la cuadragésima —contestó el cocinero.

—¿Naciste en casa o te compré?

—Ni lo uno ni lo otro —repuso el cocinero—. Te pertenezco por el testamento de Pausa.

—Mira, pues —le recomendó Trimalcio—, de servirme ese cerdo con rapidez, pues de otro modo te enviaré a la decuria de los corrales.

El cocinero, comprendiendo la amenaza de aquella advertencia, se fue a toda prisa, arrastrando el cerdo.

XLVII

Entonces, Trimalcio, volviendo el benigno rostro hacia nosotros, dijo:

—Si este vino no os agrada, lo cambiaremos, pero si lo encontráis de vuestro gusto, hacedle los honores. Tened en cuenta que yo no lo compro. Cuanto aquí halaga vuestro gusto se recoge y crece en mis posesiones del campo, que aún no conozco. Me aseguran que se encuentra en los confines de Terracina y de Tarento. Por cierto, que deseo unir Sicilia a algunas de las tierras que en esta parte de la costa poseo, para que cuando tenga el capricho de pasar a África, pueda hacerlo sin salir de mis fincas.

Pero, ahora, cuéntame tú, Agamenón, qué controversias sostuviste hoy. Aquí donde me veis, si no litigo en el foro, conozco las bellas letras, que estudié por afición. Y no creáis que le he perdido el gusto. Por el contrario, dispongo de tres bibliotecas, una griega y dos latinas, que uso continuamente. Dime, si es que quieres complacerme, qué fue lo que trataste hoy.

Agamenón comenzó a explicar:

—El pobre y el rico eran enemigos...

Pero le interrumpió Trimalcio:

—¿Quién es el pobre?

—Urbano —replicó Agamenón, que le expuso una controversia que no recuerdo.

—Si se trata de un hecho real, no hay controversia posible. Y si no es un hecho real, no hay base —replicó Trimalcio y al prodigarle nosotros grandes elogios por su argumentación, cambió de tema—. Te ruego, querido Agamenón, que me digas si recuerdas los doce trabajos de Hércules o la fábula de Ulises, y de qué manera abatió al Cíclope. ¡Cuántas veces lo leí en Homero, cuando era niño! ¿Podrás creer que he visto con mis propios ojos a la Sibila de Cumas, suspendida de una escarpia? Cuando los muchachos le preguntaban qué era lo que deseaba, ella les respondía siempre: «Quiero morir».

XLVIII

No había concluido Trimalcio la enumeración de todas sus extravagancias, cuando nos sirvieron un cerdo enorme, sobre una bandeja tan grande que ocupaba casi toda la mesa. Tras alabar la diligencia del cocinero, afirmando todos que otro cualquiera hubiese necesitado más tiempo para guisar un pollo, reparamos con estupor que aquel cerdo era aún mayor que el jabalí. Trimalcio, que lo examinaba atentamente, exclamó:

—¿Cómo es posible? No han destripado ese cerdo. No, por

Hércules, que no lo han limpiado. Llamad inmediatamente al cocinero.

Cuando apareció éste, triste y turbado, reconoció que había olvidado hacerlo.

—¡Cómo que olvidaste limpiarlo! —dijo Trimalcio—. De oírte, cualquiera iba a imaginar que se trata de una simple especia. ¡Fuera esa túnica!

El culpable, despojado en seguida de sus vestidos, se encontró en seguida entre dos verdugos. Su semblante triste y acongojado nos enterneció a todos, que nos apresuramos a implorar su perdón.

—No es la primera vez que esto ocurre. Perdónale por hoy y, de ocurrirle otra vez, nadie hablará en su favor.

A mí me había indignado su olvido y juzgaba que merecía un castigo severo, por lo que inclinándome hacia Agamenón, le dije al oído:

—Ese siervo es un bestia. ¡Olvidarse de limpiar un cerdo! ¡Por Hércules! Si de mí dependiese, no le iba a perdonar aunque se tratara de un simple pececillo.

Mientras tanto, Trimalcio, tras reflexionar, se había ya calmado y dijo sonriendo:

—Puesto que tan mala es tu memoria, destripa ese cerdo en nuestra presencia.

El cocinero recobró su túnica, tomó un cuchillo y, con mano temblorosa, abrió por distintos sitios el vientre del animal. De improviso, arrastradas por su propio peso, aparecieron por las aberturas ristras de morcillas, longanizas y salchichas. El cocinero, tras ayudarlas a salir, se retiró.

XLIX

Ante este prodigio, todos los esclavos prorrumpieron en aplausos al tiempo que gritaban:

—¡Viva Cayo!

Al cocinero se le hizo el honor de beber en nuestra compañía y se le regaló una corona de plata. Como la copa en que bebió era de Corinto y Agamenón se entretuvo examinándola, le dijo Trimalcio:

—Soy el único hombre del mundo que posee auténticos vasos de Corinto.

Supuse que con su petulancia e impertinencia habituales iba a decir que hasta los vasos de noche de su casa eran de Corinto, pero se mostró más discreto de lo que creía.

—Vais a preguntarme —exclamó— cómo es posible que sea yo el único en todo el mundo que posee vasos y copas de verdadero Corinto, ¿no es cierto? La explicación es muy sencilla. El esclavo que las fabrica se llama Corinto. Por tanto, ¿quién puede vanagloriarse de poseer auténticas obras de Corinto, sino quien tiene a Corinto entre sus esclavos? Sin embargo, no me creáis un ignorante. Conozco, tan bien como vosotros, el origen de ese metal. Tras la toma de Troya, Aníbal, hombre astuto y ladrón habilísimo, se apoderó de todas las estatuas de cobre, oro y plata, las fundió y de esa mezcla resultó un metal incomparable. Fue una mina que desde entonces aprovecharon los orfebres para hacer platos, fuentes, copas, etc. El bronce de Corinto, que resultó al mezclarse los tres metales mencionados, no es, sin embargo, ni oro, ni cobre, ni plata. Quiero deciros que yo preferiría usar vasos de vidrio, aunque esa opinión no sea general. De no ser tan frágil, yo lo preferiría incluso al oro. Sin embargo, se le desprecia.

L

»Hubo en otro tiempo un obrero que fabricó un vaso de vidrio que no podía romperse. Se le otorgó el honor de regalárselo al propio César. Después de entregárselo, lo tomó nuevamente de manos del emperador y lo arrojó al suelo con fuerza. Al César esto le dejó sorprendido, pero el obrero recogió el vaso, para mostrarle que el golpe no le había causado más que ligera abolladura, lo mismo que si fuese de metal. Entonces, el operario se sacó un martillo de la cintura y, sin apresurarse, corrigió este defecto, devolviéndole su forma anterior. Entonces, se imaginó en el Olimpo, al oír que el César le preguntaba: «¿Algún otro conoce este mismo secreto?». El obrero negó y, entonces, el emperador le mandó degollar, alegando que si se propagase el arte de fabricar un vidrio metalizado, que le privase de su fragilidad, el oro perdería todo su valor.

LI

»Yo, por mi parte, soy muy aficionado a las obras de plata. Tengo copas del tamaño de urnas, en las que está grabada Casandra[22] degollando a sus hijos. Los cadáveres de los niños son tan perfectos que parecen reales. Poseo también una jarra que legó Mys a mi patrono, en la que se representa a Dédalo encerrando a Níobe en el caballo de Troya. Tengo también copas en las que el cincel ha reproducido los combates de Hermerote y Petraitote, todas de gran peso, pues sabed que lo que he comprado no lo cedo a ningún precio.

---

22. Casandra, princesa troyana, hermana de Paris, tenía el don de la profecía y anunció que Helena causaría la destrucción de la ciudad. Con la derrota, Agamenón la libró de la furia de Ajax, para hacerla su amante. Pese a lo que diga Trimalcio, a los dos hijos de Casandra y Agamenón los degolló Egisto y no la propia madre.

Mientras así hablaba, uno de los esclavos dejó caer un vaso al suelo y Trimalcio, volviéndose, le dijo:

—¡Vamos, castígate tú mismo por tanto aturdimiento! —Iba el muchacho a abrir la boca para implorar perdón, pero él le atajó—. ¿Qué me pides? No te tengo mala voluntad; sólo te advierto que otra vez no seas tan descuidado.

Sin embargo, cediendo a nuestros ruegos, lo perdonó. No bien se fue el esclavo, cuando Trimalcio, poniéndose en pie, comenzó a correr en torno a la mesa. gritando:

—¡Fuera el agua! ¡Dentro el vino!

Celebramos todos la ocurrencia de nuestro anfitrión, especialmente Agamenón que sabía cómo portarse en aquella casa para que siempre le incluyeran en el número de invitados. Animado por nuestros elogios, Trimalcio bebió hasta hallarse casi ebrio.

—¿Ninguno de vosotros —indagó—, invita a bailar a mi Fortunata? Creedme, que no hay nadie que lo haga con más gracia. —Luego, alzó los brazos hasta más arriba de la cabeza, remedando al bufón Siro,[23] y comenzó a cantar, mientras le coreaba la servidumbre—. *¡Oh, Zeus, admirable, oh, Zeus!*

Habría comenzado a saltar si Fortunata no se le hubiese acercado para decirle al oído que, sin duda, tales tonterías no eran propias de un hombre tan importante. Nunca vi carácter tan voluble; se contenía severamente, por respeto a Fortunata, pero de improviso volvía a sus peculiares extravagancias.

LII

Cuando parecía dominado por la pasión del baile entró un escribano, quien, con la misma gravedad que si recitase las actas de la ciudad, leyó:

---

23. Séneca y otros autores citan a un esclavo llamado Publio Siro, que escribió seis tragedias que se han perdido. Es muy posible, sin embargo, que pueda aplicarse también aquí la nota 18.

—El séptimo día de las calendas de julio, en las fincas de Tuma, propiedad de Trimalcio, nacieron treinta varones y cuarenta hembras. Han ingresado en los graneros, desde las granjas, quinientas mil bolsas de trigo y se han aparejado quinientos bueyes. El mismo día, fue crucificado el esclavo Mitrídates por haber blasfemado contra el genio protector de nuestro señor Cayo. También en el mismo día se ingresaron en caja diez millones de sestercios sobrantes. El mismo día se propagó en los jardines de Pompeyo un incendio, comenzado en la cabaña de Nasta.

—¿Cómo es eso? —le interrumpió Trimalcio—. ¿Desde cuándo soy propietario de los jardines de Pompeyo?

—Desde el año pasado —explicó el escribano—. Por eso aún no se te han presentado las cuentas.

Se enfureció Trimalcio y dijo:

—De ahora en adelante, de cualquier dominio que se me compre, pondré el veto a las cuentas de la partida correspondiente a menos de que se me informe en el plazo de seis meses.

El escribano léyó a continuación las ordenanzas de los ediles y los testamentos de los guardabosques, que desheredaban a Trimalcio, excusándose por hacerlo. Continuó con la relación de los colonos, el repudio de una liberta a la que sorprendieron en brazos de un empleado del balneario, la condena a destierro de Bayo, cómo se hizo reo de malversación el tesorero, el sumario instruido a consecuencia de ciertos hechos producidos por varios sirvientes. Interrumpiendo la lectura, entraron unos bailarines, de los cuales, el más insípido y ridículo, alzó una escala de mano, ordenando a un muchacho que subiera hasta el último escalón, sin dejar de bailar ni cantar. Le obligó luego a saltar por arcos encendidos y a sostener un ánfora con los dientes. Trimalcio sólo gustaba de esas habilidades, lamentándose de que un arte tan hermoso estuviera tan mal retribuido. Para él, sólo existían dos espectáculos dignos de verse: el acrobático y las peleas de codornices. Los demás, incluidos los bufones, eran verdaderos engaños.

—Una vez compré una compañía de comediantes, pero no

quiero que representen más que farsas romanas. Di orden a mi jefe de coro de que no cantasen más que canciones latinas.

LIII

En el instante en que Trimalcio parecía más entusiasmado con su necia charla, el chiquillo del acróbata le cayó encima. Todos los esclavos comenzaron a lamentarse con grandes gritos y los comensales les imitamos, no por lástima a hombre tan impertinente, pues todos habrían deseado que le rompiesen la cabeza, sino por miedo a que concluyese el festín y nos viéramos obligados a llorar en su entierro. Trimalcio se dolía débilmente y se miraba el brazo, como si le hubiesen herido de gravedad. Acudieron los médicos, pero llegó antes Fortunata, con los cabellos sueltos y una poción calmante en la mano, asegurando ser la más miserable e infortunada de las criaturas. El chiquillo, cuya caída había causado tanto trastorno, se abrazaba a nuestras rodillas, implorándonos que pidiéramos su perdón. Sus ruegos no me conmovían, pues sospechaba que se trataba de otra comedia de ridículo desenlace, ya que no había olvidado el episodio del cocinero que no limpió el cerdo. Por tanto, miraba a todas partes, esperando que se abriesen las paredes para dar paso a alguna insólita aparición. Confirmaba mis sospechas que Trimalcio castigara a un esclavo, porque, al vendarle el brazo, usó lana blanca en vez de roja. Mis suposiciones no tardaron en confirmarse, pues en vez de decretar la pena del niño, Trimalcio le concedió la libertad, para que no se dijera que a un hombre como él le había lastimado un esclavo.

Alabamos este acto de clemencia y recordamos la inestabilidad de las cosas humanas.

—Así es —convino Trimalcio—, y un incidente como éste no puede quedar sin que lo registren por escrito.

Pidió entonces sus tablillas y, sin gran esfuerzo aparente, escribió estos versos, que luego nos leyó:

«La Fortuna que guía nuestros pasos,
lo que menos pensamos nos concede.
¡Bebamos, pues Palermo, y alegrémonos,
sin pensar en cuál será nuestra suerte!»

Esto llevó la conversación hacia los poetas, y tras mucha discusión, se acordó concederle la palma a Marcio de Tracia.[24]

Entonces, Trimalcio se dirigió a Agamenón, para preguntarle:

—Dime, maestro, ¿qué diferencia encuentras entre Cicerón y Publio?[25] A mí me parece el primero mucho más elocuente, pero creo que el segundo es más moral. ¿Cómo se pueden expresar mejor en estos versos sus ideas?

De Marte las legiones invencibles
por la lujuria subyugadas fueron,
haciendo esclava a la ciudad augusta
que la señora del mundo fue otro tiempo.
El lujo, la molicie y la lujuria
a Roma convirtieron
en lupanar y en centro de las orgías,

---

24. Id. La cantidad de nombres y personajes que hoy son desconocidos, pero que aluden a alguien que entonces vivía, es lo que basta para indicar los ataques directos del autor.

25. Id.

festines y banquetes opulentos.
En cabañas vivían y comían
sobre platos de barro en otro tiempo;
hoy en palacios viven suntuosos,
gastan vajillas de oro y alimentos
costosos, cual gallinas de Numidia;[26]
pavos reales, cigueñas, miel de Himeto[27]
y vinos delicados.
Hoy las matronas y doncellas veo
que pasean sus lúbricos ardores
a veinte amantes entregado el cuerpo,
cuyos encantos tapan y no encubren
ricos, costosos y sutiles velos.
(Y el marido lo sabe,
pero aparenta, digno, no saberlo.)
Último resto del pudor perdido,
¿se mostrarán al fin sin esos velos?

LV

»¿Qué profesión podemos considerar más difícil —continuó diciendo— después de las letras? A mí me parece que la medicina y la banca. El médico, que sabe lo que hay en el cuerpo del hombre y cuándo se declara la fiebre; lo que, sin embargo, no impide que yo odie a los médicos, que me prescriben con frecuencia caldo de pato; el banquero, que descubre la aleación de cobre y de plata. Dos clases de animales mudos hay, muy trabajadores: el buey y la oveja; al buey le debemos el pan que comemos; a la oveja, la lana

---

26. Numidia, región de la actual Argelia. Las llamadas gallinas de Numidia son las que hoy se conocen como gallinas de Guinea.
27. Monte situado a 7 km de Atenas, famoso por su miel. Los romanos la usaban en vez de azúcar.

que nos proporciona esos vestidos de los que estamos tan orgullosos. ¡Qué vergüenza! El hombre, pese a todo, se come a la oveja a la que le debe la túnica. También considero animales divinos las abejas, que fabrican miel aunque algunos dicen que es Júpiter quien se la entrega. Sin embargo, producen también picaduras dolorosas, lo que demuestra que incluso la mayor dulzura va unida a alguna amargura.

Trimalcio seguía enfrascado en sutiles filosofías, cuando un esclavo recorrió la mesa, con una vasija que contenía billetes de lotería. Un niño leía en voz alta los lotes con los que los invitados habían sido agraciados: « ¡Plata vil!», y sirvieron un jamón sobre el que había una aceitera; «¡Corbata!», y trajeron una soga; «¡Amargura y afrentas!», y le dieron fresas salvajes, un gancho y una manzana; «¡Verrugas y melocotones!», y recibió el afortunado un látigo y un cuchillo; «¡Gorriones y cazamoscas», y trajeron pasas y miel ática; «¡Traje de fiesta y traje de calle!», y entregaron galletas y tablillas para escribir; «¡Canal y pedal!», y al invitado le dieron una liebre y una sandalia; «¡Ratón y carta!», y resultó ser una rata atada a una rana. Nos reímos mucho de esos curiosos lotes y de mil otros muy similares, que ya he olvidado.

LVI

Ascylto, pese a que reía hasta saltársele las lágrimas, se burlaba sin recato de todas aquellas tonterías, con lo que provocó la ira de uno de los libertos de Trimalcio, precisamente el que era mi vecino de mesa:

—¿De qué te ríes, imbécil? —le gritó—. ¿Es que no apruebas la magnificencia de mi señor? ¿Eres acaso más rico que él y tratas mejor a tus invitados? Así me ayuden los lares[28] de esta casa, que

---

28. Lares, dioses protectores del hogar de cada familia.

de encontrarme a tu lado te habría impedido que te burlaras. ¡Hermoso aborto para mofarte de los demás! Tienes todo el aire de un vagabundo nocturno, que ni siquiera vale la cuerda con la que han de ahorcarlo. Como yo dejara a su alcance algo de lo que me sobra, iba a escapar en seguida. ¡Por Hércules! No me enojo fácilmente, pero en la carne muerta nacen los gusanos. ¡Ríe! ¿De qué puedes reír? ¿Es que, acaso, se eligen los padres? Por tu túnica, veo que eres ciudadano de Roma. Pues yo soy hijo de un rey. Me preguntarás que por qué serví. Pues porque yo mismo elegí la servidumbre, prefiriendo la ciudadanía romana a la realeza tributaria; pero ahora confío en vivir de modo que nadie se burle de mí. Soy un hombre que va entre los otros con la cabeza muy alta, no debo nada a nadie y ni siquiera he recibido nunca salario. Jamás me ha dicho un acreedor: «Devuélveme lo que me debes». He comprado tierras, tengo lingotes en mi caja y mantengo a unas veinte bocas, sin contar el perro. He rescatado a mi esposa, para que ningún hombre tenga derecho a enjuagarse las manos en su cabello. Me hicieron séviro [29] sin sueldo y espero morirme sin tener que avergonzarme de nada. Y tú, puesto que eres tan honrado, ¿cómo te atreves a volver la cara? ¿Ves, acaso, un piojo en tu vecino y sobre ti un escorpión? ¿Y eres tú el único que nos consideras ridículos?

»Mira a tu maestro, de más edad que tú y que, sin embargo, se complace con nuestra compañía. Eres un chiquillo al que, de apretarle la nariz, le iba a salir la leche materna. ¿Vas a callarte, vaso frágil, pellejo húmedo, que no eres mejor por ser más ligero? ¿Es tu riqueza mayor que la de Trimalcio? Pues come dos veces y cena por cuatro. Yo prefiero mi conciencia a todos los tesoros del mundo. ¿Acaso alguna vez me han reclamado por dos veces una deuda? He servido cuarenta años, pero ¿quién podrá decir si fui

---

29. Séviro, cada uno de los seis individuos que componían la directiva de ciertos cuerpos colegiados.

esclavo o libre? Era entonces un muchacho de muy larga cabellera. En esa época, aún no se había construido el templo. Hice cuanto estaba en mi mano para satisfacer los deseos de mi señor, hombre poderoso e influyente, cuyas uñas valían más que toda tu persona; en su casa, hubo quien intentó indisponerme con él, pero, gracias a mi genio tutelar, vencí todas las envidias y enemistades. Triunfé, sí; porque es más fácil nacer libre que conseguir la libertad. ¿Por qué te callas ahora, como un chivo ante la estatua de Mercurio?

LVII

Cuando concluyó su discurso, Giton, que se encontraba en el suelo y desde hacía rato pugnaba por contener la risa, estalló en una ruidosa carcajada, que obligó al adversario de Ascylto a descargar toda su cólera en el chiquillo.

—¿También tú te burlas, bribón?— le dijo—. ¡Oh, las saturnales![30] ¿Es que estamos en diciembre? ¿Cuándo pagaste el impuesto vigésimo para ser libre? ¿Cuándo son las cruces y cuándo tendrán su pasta los cuervos? Ya Júpiter se enfurece contigo y con tu amo que no te obliga a callar. Así pierda el gusto por el pan que te daría tu merecido a no ser por el respeto que le tengo a nuestro anfitrión, mi antiguo compañero. De no ser por él, te habría ya castigado severamente. Todos nos encontramos aquí a gusto, menos el sinvergüenza de tu amo, que ni siquiera sabe hacerte callar. Con razón se dice que «A tal amo, tal criado». Me contengo a duras penas, pues soy vehemente por naturaleza y cuando me ciego no respetaría a mi propia madre. Pero ya te encontraré en otro lugar, reptil. ¡Así pierda toda mi fortuna si no obligo a tu amo a ocultarse en una ratonera! Y no voy a olvidar-

---

30. Como en estas fiestas todos eran amigos y se gastaban bromas, de ahí el comentario del comensal.

me, ¡por Hércules! Así invoques a Júpiter olímpico, que te he de alargar los cabellos. Tanto tú como tu señor recibiréis vuestro merecido. O no me conozco o no van a quedarte ganas de seguir burlándote de los hombres, cuando tengas unas barbas de oro como las de los dioses. Los maleficios de la hechicera Sagana te seguirán a ti y a quien te educó. Yo no he estudiado geometría, ni lógica, ni otras bagatelas, pero conozco el estilo lapidario, sé la división en cien partes, según el metal, el peso y la moneda. Te propongo que hagamos una apuesta sobre el asunto que quieras. Deseo demostrarte que tu padre ha perdido el dinero que le costaron tus estudios, aunque sepas retórica. ¿Cuál de nosotros viene despacio y va lejos? Si me pagas, te lo digo. ¿Quién de nosotros es el que corre, aunque no se mueva de su sitio? ¿Cuál de los que aquí ves es quien más crece conforme más pequeño se hace? Te agitas, estúpido, porque como un papanatas, no sabes qué responder; cállate, por tanto, y no molestes al que es mejor que tú y que ni siquiera había advertido que existías. ¿Crees que me impresionas con esas sortijas brillantes, que quizá le robaste a tu querida? Que Mercurio me valga. Vámonos los dos a la plaza y pidamos dinero en préstamo. Veremos si vale más mi anillo de hierro que todas tus sortijas. ¡Bah! ¡Buena cosa es una gorra mojada! Así me enriquezca tanto y muera tan honrado que todos me bendigan, como que te perseguiré por todas partes, hasta que te haga condenar por los jueces. ¡Bueno debía ser quien te educó! Mi maestro, Mufrio (pues yo también he estudiado), solía decirnos: «¿Cumplisteis con vuestro deber? Pues id directamente a casa, sin mirar alrededor y sin molestar a las personas mayores. De otro modo, no llegaréis nunca a nada». Por mi parte, doy gracias a los dioses por saber conducirme bien y alcanzar el puesto que ahora ocupo.

Iba Ascylto a contestar airado, cuando Trimalcio, encantado por la elocuencia de su antiguo siervo, dijo:

—Dejad a un lado las injurias y mostraos suaves en palabra, no pensando más que en gozar. Y tú, Hermero, perdona a un adolescente cuya sangre bulle. Ya que eres mayor de edad, dale ejemplo con tu cordura y prudencia. Sé más razonable que él. En esas cuestiones, es siempre vencedor quien a sí mismo se vence. Cuando tenías sus años, no eras mejor que él. Creo que será mejor reanudar nuestra alegre conversación, en espera de los homeristas.[31]

En aquel momento, un grupo de histriones hicieron retumbar sus escudos, golpeándolos con las lanzas. Trimalcio, para escucharles, se sentó en el suelo y, cuando los homeristas, según costumbre, comenzaron a recitar versos griegos, se puso de nuevo en pie y, como nuevo capricho, comenzó a leer versos latinos en voz alta. Después, obligando a callar a los histriones, nos dijo:

—¿Sabéis qué fábula representan? Diomedes y Ganímedes eran hermanos; Helena era su hermana, a la que Agamenón robó, convirtiéndola en esclava que debían inmolar en el altar de Diana. Así Homero[32] canta en ese poema las guerras de troyanos y pasentinos. Agamenón triunfó y dio a su hija Ifigenia a Aquiles como esposa, con lo que provocó la locura de Ajax, como ahora nos explicarán.

No había aún concluido de hablar Trimalcio, cuando los histriones lanzaron un grito agudo y acudieron unos esclavos sosteniendo una enorme fuente con un ternero cocido, que lucía un casco en la cabeza. Detrás, venía el propio Ajax, con la espada

---

31. Los homeristas eran una escuela de rapsodas, comenzada en Chíos, que cantaba poemas clásicos, en griego.

32. Homero es el poeta autor de la *Ilíada,* que comenta Trimalcio. Helena no era hermana de Ganímedes ni fue Agamenón quien la robó. El autor se burla así de la incultura del potentado.

desenvainada y demostrando con sus gestos, la más furiosa locura, quien cortó el animal en muchos pedazos, que se distribuyeron entre los sorprendidos comensales.

LIX

Apenas tuvimos tiempo de admirar su destreza, cuando oímos crujir el techo con tal estruendo que retembló toda la sala. Me levanté asustado, temiendo que me cayera encima algún otro acróbata; me imitaron los demás invitados, alzando la vista para ver qué nueva maravilla llegaba del techo. De improviso, éste se abrió, desapareciendo la cúpula, y descendieron hasta nosotros coronas de oro y vasos de alabastro, llenos de perfumes. Invitados a aceptar esos presentes, volvimos a la mesa y, como por arte de magia, la vimos cubierta de una enorme fuente repleta de pastas de diferentes formas. La mayor, representaba al dios Príapo y ocupaba el centro de la fuente. Como de costumbre, llevaba una gran fuente de uvas y de frutas de todas clases. Extendíamos ya las manos con avidez para tomar tan espléndidos postres, cuando una nueva diversión vino a reanimar nuestra alegría, un poco desfallecida. De aquellas pastas, de todos los frutos, salía al más ligero contacto un chorro de licor azafranado que nos inundaba el rostro, dejándonos un sabor ácido. Convencidos de que era preciso hacer algún acto religioso antes de quitarle las frutas a Príapo, cumplimos respetuosamente con las libaciones al uso y, después de desearle felicidad eterna a Augusto, padre de la patria, nos apresuramos a coger los sabrosos dulces y las apetitosas frutas, especialmente yo, que creía no poder satisfacer la enorme gula de Gitón. Mientras, entraron tres esclavos, ataviados con blancas túnicas, dos de los cuales colocaron los dioses lares sobre la mesa. El tercero, empuñando una copa de oro, dio la vuelta a la mesa, mientras pronunciaba estas palabras:

—A los dioses propicios.

Luego, nos dijo que dichos dioses se llamaban Cerdo, Felicio y Lucro. Hicieron circular después una imagen, en todo igual a Trimalcio, que los invitados besaban con reverencia, cosa que nosotros nos apresuramos a imitar.

LX

Una vez los comensales nos hubimos deseado mutuamente la salud del cuerpo y la del cerebro, Trimalcio se volvió hacia Nicero y le dijo:

—Tú solías ser ingenioso y locuaz en los banquetes. ¿Por qué estás hoy tan callado, sin pronunciar palabra? Te ruego que, si deseas complacerme, nos relates alguna de tus aventuras.

Nicero, satisfecho por la deferencia del amigo, respondió:

—Que no me favorezca la fortuna, si no he gozado mucho en este banquete, al ver vuestra satisfacción. Entreguémonos a la alegría más franca, sin temor a las burlas de los escolásticos. Te relataré lo que me pides, aunque se burlen de mí. ¿Qué se ríen? Pues que se rían. Es mejor sufrir las burlas que burlarse. —Tras decir esto, comenzó su historia:

»Cuando yo era siervo, vivíamos en una angosta calle, la que ahora es casa de Gavilla, donde me enamoré, porque así lo quisieron los dioses, de la mujer de Terencio el tabernero. Todos conocisteis a Melisa de Tarento, el más hermoso refugio de besos que ha existido, pero no imaginéis, ¡por Hércules!, que era el amor carnal, su atractivo, el deseo material lo que me subyugaba. Jamás me negó nada de cuanto le pedí; por el contrario, se adelantaba incluso a mis deseos; le confié mis ahorros y no tuve motivo de arrepentirme de tal confianza. Su marido falleció en el campo y yo estuve devanándome los sesos para poder reunirme con ella, seguro de que en esas circunstancias dolorosas es cuando se conoce a los verdaderos amigos.

»Dio la casualidad de que mi amo se fuera a Capua para vender algunos útiles de los que había mucha demanda. Aproveché para persuadir a nuestro invitado de que me acompañara. Era un militar más valiente que Plutón. Partimos al cantar el gallo y la luna brillaba con tal claridad que podía verse igual que en pleno día; no tardamos en llegar a un cementerio. Mi acompañante, de improviso, comenzó a conjurar a los astros, mientras yo me sentaba para descansar. Me entretuve cantando una cancioncilla y contemplando las estrellas y al volverme, vi que el militar se desnudaba e iba depositando sus ropas al borde del camino. Me asusté, quedándome inmóvil como un cadáver. Aún aumentó más mi temor al ver que orinaba alrededor de sus vestidos y, en el mismo instante, se convirtió en lobo. No creáis que estoy bromeando. No mentiría ni por todo el oro del mundo. ¿Por dónde iba de mi relato? ¡Ah, ya recuerdo! Nada más convertirse en lobo, comenzó a aullar y se internó en el bosque. Yo no sabía dónde me hallaba. Cuando fui a buscar las ropas de mi compañero, para llevármelas, comprobé que se habían convertido en piedra. Si hubo un hombre que debía morir de miedo, ése soy yo. Sin embargo, aún tuve ánimos para desenvainar la espada y repartir tajos a mi alrededor para alejar a los malos espíritus, de modo que al fin llegué a casa de mi amante, más muerto que vivo y cubierto de un sudor frío que me cubría todo el cuerpo. Les costó gran trabajo hacerme reaccionar. Mi querida Melisa me explicó su gran sorpresa al verme llegar en tal estado y a aquellas horas.

»—Pero de haber venido un poco antes—añadió— me habrías ayudado mucho. Un lobo ha penetrado en la majada y ha degollado a todos los carneros. Ha sido una verdadera carnicería. Sin embargo, aunque ha logrado escapar, no creo que le queden ganas de volver, pues uno de los pastores le ha atravesado el cuello con una lanza.

»Podéis imaginar mi asombro ante este relato. Como amanecía ya, corrí a casa, como si me persiguiera una turba de asesinos. Al llegar al sitio donde estaban los vestidos que se convirtieron en piedras, sólo hallé grandes manchas de sangre, pero en casa me encontré con que mi valeroso soldado estaba en cama, sangrando como un buey y que un médico intentaba coserle el cuello. Comprendí entonces que era el lobo del que me hablara Melisa y a partir de entonces, antes me habría dejado matar que comer siquiera un pedazo de pan en su compañía. Los que no me conozcan y crean que miento, allá con su juicio, pero que me ahoguen los genios tutelares de esta casa si no he dicho la verdad.»

LXII

Este relato nos dejó a todos atónitos.

—Yo creo en tu narración, que nos ha hecho poner de punta los cabellos —dijo Trimalcio—, y todo el que conozca a Nicero no pondrá en duda su relato, por saberle hombre veraz y poco hablador. Yo también —añadió— voy a contaros algo horrible y tan sorprendente como ver un burro pasearse por un tejado. Llevaba yo aún larga cabellera, pues desde niño viví con voluptuosidad, cuando murió Ifis, que era mi encanto y mi delicia. ¡Por Hércules! Era un niño hermoso cual una flor, una verdadera joya. Mientras la desgraciada madre lloraba y nosotros la acompañábamos en su dolor, oímos de pronto un estruendo semejante al de una jauría que persigue una liebre. Estaba allí un capadocio, hombre muy alto y fornido, de tan gran valor que habría sido capaz de enfrentarse con el propio Júpiter armado de sus rayos destructores. El capadocio, sacando la espada y enrollando la túnica en el brazo izquierdo, salió de la casa, tropezóse con una bruja y, como quien se bebe un vaso de agua, la atravesó de parte a parte. Nosotros oímos un gemido profundo, pero en honor a la verdad no vimos brujas. Cuando regresó el capadocio, cayó desfallecido en un lecho. Tenía el cuerpo cubierto de manchas amoratadas, como si le hubiesen azotado o como si le hubiese tocado una mano mala. Cerramos la puerta y volvimos a velar el cadáver, pero cuando la madre fue a abrazarlo, comprobó, y todos lo vimos, que lo habían sustituido por un maniquí relleno de paja, que no tenía ni corazón ni entrañas, ni era húmedo. Sin duda, las brujas robaron el cuerpo de Ifis, sustituyéndolo por aquella ridícula figura. Os pregunto, en vista de hechos como éste, si puede dudarse de la existencia de las brujas y tomar a burla sus maleficios, que todo lo cambian. Por su parte, el capadocio ya no volvió a recobrar su antiguo valor y pocos días más tarde murió en un ataque de locura.

LXIII

Los invitados nos miramos unos a otros bastante asustados y, dando como ciertos los relatos, besamos la mesa para conjurar a las brujas a permanecer en sus casas y no molestarnos cuando regresáramos a nuestros respectivos domicilios. Yo estaba tan ebrio que veía multiplicarse las luces hasta el infinito y cambiar de aspecto toda la sala del banquete. Trimalcio exclamó de pronto:

—A ti me dirijo, Plocrimio, ¿no nos cuentas algo? ¿No sabes cómo distraernos? Antes eras un agradable conversador, cantabas con gusto y recitabas muy bien versos y diálogos. ¡Ay! ¡Ya desapareció el encanto de aquellas sobremesas !

—Sí —respondió el aludido—, la gota ha detenido mi carrera. Antes, cuando era joven, cantaba hasta enronquecer. ¿Y bailando, o declamando o en los juegos de destreza? ¿He tenido algún rival, aparte de Apeles?[33] A continuación, se metió dos dedos en la boca, lanzando un estridente silbido, que, según nos dijo, era una imita-

---

33. Apeles, actor que alcanzó una gran fama en Roma y que Calígula asesinó, por considerar que se burlaba de él en sus tragedias. Éste es uno de los motivos por los que se ha podido establecer la fecha de la novela.

ción de los griegos. Trimalcio, tras pretender parodiar a los flautistas, se volvió hacia el objeto de sus amores, un niño legañoso, de dientes desiguales y negros, llamado Creso. Se divertía éste en aquellos momentos envolviendo con una cinta verde a una perrita negra, gordísima y asquerosa, a la que obligaba a arrastrar por el lecho un pan de media libra. Esto hizo que Trimalcio recordase su famoso perro *Escilax,* guardián de la casa y de sus habitantes, que quiso que le trajeran allí. Minutos después, vimos entrar a un perro de gran tamaño, al que el portero sujetaba con una cadena. Cuando llegó junto al anfitrión, una patada del portero advirtió al can que debía tenderse a los pies de su amo. Así lo hizo y Trimalcio le dio pan blanco, al tiempo que decía:

—No hay nadie en toda la casa que me quiera más que este animal.

Creso, molesto por tales alabanzas, dejó en el suelo a la perrita, azuzándola contra *Escilax,* el cual, por instinto, comenzó a ladrar con tanta fuerza que repercutió en toda la sala y poco faltó para que despedazase a la *Perla,* que así se llamaba la asquerosa perrita. Pero no se limitó a eso el tumulto. De improviso, una de las lámparas de cristal que nos iluminaban, encima mismo de la mesa, se desprendió y fue a caer sobre el mueble, aplastando vasos y platos y manchándonos de aceite. Trimalcio, para simular que esa pérdida no le afectaba, abrazó a Creso y le dijo que montara sobre sus espaldas. No tuvo que repetirlo. El chiquillo se sentó en sus espaldas y comenzó a dar palmadas a su cabalgadura. Después, con el dedo, fue escribiendo sobre las espaldas, mientras reía con estrépito: «¡*Cuernos! ¡Cuernos! ¿Cuántos son?...»* Al cabo de unos minutos de esa especie de penitencia, Trimalcio ordenó que llenasen de vino un gran vaso y lo dieran a beber a los esclavos que estaban a nuestros pies.

—Si alguno —añadió— no quisiera, que le echen su parte sobre la cabeza. De día, soy muy severo, pero ahora quiero que todos estén alegres.

LXIV

Después de este acto de familiaridad, nos sirvieron a nosotros huevos de oca y unos pollos que, según Trimalcio, estaban deshuesados. Estábamos en este punto del festín, cuando llamaron a la puerta y entró un nuevo invitado, vestido de blanco y seguido de un cortejo lucidísimo. Me sobrecogió de temor respetuoso el aspecto de ese personaje y, creyendo que era el pretor, me disponía a escapar, cuando Agamenón me dijo, burlándose de mi prisa:

—No te molestes, hombre estultísimo, pues no se trata más que del séviro Habinas,[34] marmolista de oficio, que pasa por ser el mejor constructor de monumentos fúnebres. Tranquilizado por estas palabras, volví a acodarme sobre la mesa, sin dejar de admirar la majestuosa entrada del séviro, que venía bastante bebido y debía sostenerse apoyándose en el hombro de su esposa. De la frente, adornada con varias coronas, le chorreaban ríos de perfume que le iban a caer en los ojos. Sin cumplidos, fue a sentarse en el sitio de honor y pidió vino y agua tibia. Encantado de su desenvoltura, Trimalcio pidió una copa más grande aún y le preguntó cómo le habían tratado en la casa de la que venía.

—Lo hemos pasado muy bien —respondió el otro— y sólo a ti te he echado de menos, pues mi corazón estaba aquí. ¡Por Hércules! Fue buena la fiesta. Escisa ha celebrado de modo magnífico la novena de Miselo, uno de sus esclavos, a quien libertó in *articulo mortis*. Aparte del impuesto del vigésimo que él se gana, ha encontrado una buena sucesión, pues la fortuna del difunto se estima en unos cincuenta mil sestercios. Ha sido una agradable cena, aunque hayamos tenido que verter la mitad de nuestro vino sobre los huesos del difunto.

---

34. Habinas, por el cargo de séviro, era uno de los jefes de los primitivos gremios del imperio romano.

LXV

—¿Qué te dio para cenar? —quiso saber Trimalcio.

—Veré si puedo decírtelo —replicó el otro—, pues tengo tan buena memoria que a veces olvido mi nombre. Primero nos sirvieron un cerdo rodeado de morcillas y salchichas, con pepitoria muy bien hecha, calabazas, pan casero, que yo prefiero al blanco, porque es más alimenticio y laxante y me hace ir donde ya sabes sin esfuerzo, y después una torta fría, rociada de deliciosa miel de Hispania, muy caliente. Pero no he tocado la torta. De la miel, en cambio, me embadurné los dedos. Además, hemos tenido alubias, guisantes y nueces, pero sólo una manzana para cada comensal. Yo, no obstante, cogí dos, que llevo aquí, envueltas en una servilleta, pues si no le doy nada a mi esclavo favorito arma un escándalo. Mi esposa me recuerda ahora otro de los manjares servidos, que había olvidado: un osezno en pedazos, que, al probarlo, aunque no sabía lo que era, Escintila vomitó hasta los intestinos. Yo, por el contrario, me comí más de una libra y me supo muy bien. Yo me decía que si los osos se comen a los hombres, mejor es que los hombres se coman a los osos. En fin, tuvimos un queso flojo, vino caliente, menudillos, hígado, huevos rellenos, bizcochos, etc. Hubo también aceitunas, que algunos se disputaban a puñetazos, y jamón, del que nadie hizo caso.

LXVI

—Pero te ruego, Cayo, que me digas por qué no está entre nosotros Fortunata. —¿Es que no la conoces? —respondió Trimalcio—. Si no ha guardado el servicio ni repartido a los esclavos las sobras de la cena, no es capaz de beberse un vaso de agua con tranquilidad.

—Lo sé, pero si no viene enseguida a la mesa, me retiro.

Hacía ya un movimiento para levantarse, cuando, a una seña

de su amo, tres o cuatro siervos fueron a buscar a Fortunata. Ésta llegó al pronto, vestida con una ligera túnica color cereza, levantada y sujeta de un lado por un cinturón verde claro, que dejaba sus ligas al descubierto y los muslos, que cubrían bordados del mismo material. Tras secarse las manos con un sudario que llevaba al cuello, se tendió en el mismo lecho que Escintila, la esposa de Habinas, comenzando ambas a besarse.

—¡Cuánto me alegro de verte! —le dijo.

Enseguida llegaron a tal grado de intimidad que Fortunata, quitándose los ricos brazaletes que adornaban sus rollizos brazos, los mostró a Escintila; luego, se quitó también las ligas y hasta la redecilla que le sujetaba los cabellos y que afirmó estar tejida con hilos de oro finísimo. Trimalcio hizo traer todas las joyas de su esposa:

—¡Ved lo que cuesta una mujer! —declaró—. ¡Somos tan necios que nos arruinamos y privamos en beneficio de ellas! Esos brazaletes deben pesar seis libras y media y el único que tengo pasa de las diez, hecho con milésimos destinados a Mercurio.

Para demostrarnos que no exageraba, hizo traer una balanza y nos obligó a todos a comprobar el peso de cada uno de los brazaletes. Escintila, no menos vanidosa, se descolgó del cuello un medallón de oro puro, que llamaba *Felición*, del que sacó dos hermosos pendientes, que hizo que, a su vez, admirase Fortunata.

—Gracias a la esplendidez de mi marido —afirmó— no existen otros mejores.

—¿Qué ocurre? —indagó Habinas—. ¿Te has arruinado al comprar esas chucherías de vidrio? Si tuviese una hija, creo que le cortaría las orejas. De no existir mujeres en el mundo, haríamos el mismo caso de esos vidrios que de las basuras, pero nos gastamos el oro en comprarlas.

En este momento, las dos amigas, hartas ya de vino, reían como locas y acabaron echándose una en brazos de la otra, ebrias de placer. Escintila alababa los diligentes cuidados de Fortunata en el gobierno de su hogar y esta última la felicidad de que gozaba la otra con el buen comportamiento de su esposo. Cuando estaban más fuertemente abrazadas, rostro con rostro, Habinas se levantó sin hacer ruido y, acercándose a ellas, cogió a Fortunata por los pies y la volvió boca arriba.

—¡Ah, ah!—gritó, al ver que las túnicas de ambas mujeres estaban abiertas por delante, descubriendo sus desnudeces—. ¡Ah, ah!

Fortunata se cubrió al instante y ocultó con el sudario el rubor que le encendía el rostro, echándose nuevamente en brazos de Escintila que la recibió con placer manifiesto.

LXVII

Casi enseguida, Trimalcio ordenó que sirvieran los postres. Los esclavos retiraron las mesas y trajeron otras, en las que esparcieron una especie de tintura de azafrán, bermellón y piedra virea, reducida a polvo, cosa que jamás viera yo.

Entonces agregó Trimalcio:

—Podría contentarme con este servicio, pues tenéis ante vosotros la segunda mesa, pero, si aún queda alguna otra cosa, que nos la traigan.

Mientras, un adolescente egipcio imitaba el canto del ruiseñor; pero pronto gritó Trimalcio:

—¡Otra cosa!

La escena cambió. Un esclavo, sentado a los pies de Habinas, por orden de éste sin duda, comenzó a recitar con voz sonora:

«En medio del Océano, Eneas indeciso,
siguió la ruta que Minerva quiso.....

Jamás me taladraron los oídos unos sonidos más agrios, pues, aparte de que el palurdo bajaba o subía de tono a contratiempo, mezclaba los versos atelanos, y entonces, por primera y única vez, no me gustaron los versos de Virgilio. Al fin se calló el esclavo y Habinas dijo con entusiasmo:

—¡No ha estudiado nunca! Ha aprendido imitando a los pocos que ha oído recitar. No tiene rival cuando parodia a los acemileros y charlatanes. Es en los temas dramáticos donde más resalta su talento. Además, es, al mismo tiempo, zapatero, cocinero, repostero, etc., todas las musas le inspiran. Sólo tiene dos pequeños defectos, sin los que sería un ser perfecto: está circuncidado y ronca como un perro, aparte de que bizquea un poco. Pero eso no importa, pues de igual modo mira Venus y a mí me agrada. Por ese error en la vista, no he pagado por él más que trescientos dineros.

LXVIII

Escintila le interrumpió en ese momento.

—No cuentas todos los servicios que ese esclavo te presta. Es también tu querido, pero yo me encargaré de que lleve la marca que le corresponde.

Trimalcio, riendo, dijo:

—En eso reconozco a mi capadocio. No se priva de nada y, ¡por Hércules!, que le alabo el gusto, pues no tiene rival. Pera tu, Escintila, no tengas celos. Créeme, que os conozco. Así los dioses me ayuden, que es cierto que solía yo solazarme con Mamea, la esposa de mi señor, hasta que éste, suspicaz, me envió a una de las decurias del campo. Pero contente lengua, que ya hablaste demasiado.

Imaginando que le alababan, el esclavo sacó una especie de trompa del bolsillo y pasó media hora imitando a los flautistas. Habinas, con los dedos en el labio inferior, le acompañaba con silbidos. Por último, aquel imbécil salió al centro de la sala y, con unas cañas hendidas, imitó a los músicos, para luego, blandiendo un látigo, simuló ser un acemilero.

Habinas, al cabo de un rato, le llamó, dióle un beso y le regaló unas caligas.

—Cada vez lo haces mejor, Masa —dijo.

No habrían concluido aquellas miserias, a no haber traído el último servicio, consistente en pasteles de tordo, pasas y nueces confitadas. Luego, trajeron unos lechones rodeados de cardos en forma de clavos, con lo que parecían erizos. Sin embargo, esto era aceptable, pero al fin nos presentaron un manjar tan monstruoso que era preferible pasar hambre que probarlo. Al servirlo, creímos que era una oca gigante, adornada con peces y aves de toda clase, pero Trimalcio nos desengañó, advirtiendo:

—Cuanto ahí veis, está hecho con la carne de un solo animal.

Yo, que había corrido un poco, comprendí enseguida de qué se trataba y le dije a Agamenón:

—Fíjate bien y comprobarás que todo eso es artificial, de tierra cocida. He visto durante las saturnales de Roma festines hechos de la misma manera.

LXIX

Apenas lo hube dicho, se alzó Trimalcio para añadir:

—Así vea yo crecer no mi cuerpo sino mi fortuna, que mi cocinero lo ha hecho todo con carne de cerdo. No hay hombre más precioso que él. Sería capaz de hacer de la vulva de una cerda, un pez; de la grasa, una paloma; del jamón, tórtolas, y una gallina de los intestinos. Por ese motivo le he puesto un nombre que le viene muy a propósito. Le llamo Dédalo. Para agradecer su mérito, le he hecho traer de Roma unos excelentes cuchillos de acero nórico.

Ordenó que nos los mostrasen y, admirado de lo que poseía, nos autorizó a que probáramos su filo en nuestras mejillas. En aquel instante, entraron dos esclavos que simulaban pelearse, como consecuencia de unas palabras en el lago. Llevaban aún las ánforas suspendidas del cuello y Trimalcio intentó reconciliarles en vano, pues cada uno culpaba al otro. Con una fusta, golpeaban el ánfora de su adversario. Muy sorprendidos por su insolencia, mirábamos la pelea de aquellos dos borrachos cuando vimos que se rompían las ánforas y caían ostras y pececillos, que otro sirviente nos iba repartiendo. El habilidoso cocinero, para completar su obra, nos sirvió unos asados deliciosos, que preparaba sobre parrillas de plata, mientras cantaba con voz trémula y bronca. Me avergüenza un poco recordar los siguientes detalles: con un inaudito refinamiento, esclavos adolescentes, de larga cabellera, trajeron ungüentos aromáticos en barreños de plata, con los que nos lavaron los pies y las piernas después de enlazárnoslas con guirnaldas. Luego, vertieron lo que sobraba en el vino y en las lámparas. Fortunata había comenzado a bailar y Escintila la aplaudía, pues estaba demasiado ebria para elogiarla con palabras.

—Te permito a ti, Filargiro —dijo Trimalcio—, y a ti, Carrión, mi magnífico campeón, que os acerquéis a la mesa con nosotros. Di a tu esposa Menofila que baje también. Y que vengan todos.

Al instante, la sala se llenó de esclavos y faltó poco para que nos echasen de nuestros lechos para acomodarse ellos. El cocinero, que de un cerdo hiciera una oca, se puso a mi lado y pude reconocerle por su olor a grasa. No contento con estar a la mesa, quiso parodiar la tragedia de Éfeso y apostó con su amo a que si él perteneciese a los corredores verdes alcanzaría el primer premio en las carreras del circo.

LXX

Satisfecho por el desafío, Trimalcio nos dijo:

—Amigos, también los esclavos son hombres y así mismo han libado leche materna, igual que nosotros, aunque el hado les haya sido más adverso que a nosotros. Por mi salvación, os aseguro que deseo que todos ellos gocen, en vida mía, del agua de los hombres libres. Por tanto, a todos ellos quiero manumitir y así consta en mi testamento. Además, lego a Filargiro un campo, y a su esposa, Carrión, le otorgo una manzana de casas con el producto del vigésimo y un lecho guarnecido, para festín. Si anticipadamente publico mi testamento, es porque deseo que todos los míos me quieran ahora lo mismo que si ya hubiese muerto.

Se apresuraron los esclavos a dar las gracias a su señor, pero éste, que tomaba la cosa muy en serio, hizo que trajesen su testamento y lo leyó del principio al fin, entre los sollozos de toda su gente. Luego, se volvió a Habinas, para preguntarle:

—¿Qué dices a todo esto, carísimo amigo? ¿Preparas mi monumento sepulcral según mis instrucciones? Te ruego, sobre todo, que no dejes de poner la imagen de mi perrita a los pies de mi estatua y tantas coronas e inscripciones como requiera el recuerdo de mis combates, para que tu cincel me brinde la gloria de vivir después de muerto. Deseo, también, que el terreno de mi tumba tenga cien pies sobre la vía pública y doscientos sobre el campo, para que puedan plantarse en torno a mi escultura toda clase de árboles frutales y, especialmente, muchos viñedos. Me parece muy absurdo que cuidemos las casas en las que sólo viviremos unos años y descuidemos en cambio las tumbas que es donde vamos a permanecer eternamente. Pero deseo que en la mía grabéis esto:

MI HEREDERO NO TIENE DERECHO ALGUNO
SOBRE ESTE MONUMENTO

»Por lo demás, ya me ocuparé de que mis restos no puedan recibir injuria alguna, pues nombraré custodio a uno de los libertos. No debes olvidar tampoco, Habinas, que en el monumento haya unas embarcaciones navegando ni de representarme a mí, sentado en un tribunal, con ropas de pretor y cinco anillos de oro en los dedos, distribuyendo un saco de dinero al pueblo. Ya que tú sabes que he dado muchas comidas públicas y dos denarios a cada individuo. Si lo crees oportuno, representa varias salas de banquete en las que el pueblo se divierta. A mi derecha, debe ir la estatua de Fortunata, que en la diestra sostendrá una paloma y en la izquierda un lazo, con el que guía a una perrita. Luego, ánforas cerradas herméticamente para que el vino no se derrame y también una urna rota, sobre la que llora un niño. En el centro del monumento, un cuadrante solar, dispuesto de tal modo que cuantos miren la hora deban a pesar suyo, leer mi nombre. El epitafio, si te parece, podría ser éste:

CAYO POMPEYO TRIMALCIO
ÉMULO DE MECENAS, YACE AQUÍ.
FUE NOMBRADO SÉVIRO EN AUSENCIA DE AQUÉL;
REHUSÓ MUCHAS VECES EL HONOR DE UN MANDO
EN TODAS LAS DECURIAS.
PIADOSO, VALIENTE, LEAL,
DEJÓ TREINTA MILLONES DE SESTERCIOS.
NUNCA QUISO APRENDER NADA DE LOS FILÓSOFOS.
R.I.P.
CAMINANTE, IMITA SU CONDUCTA.

LXXI

Al acabar la lectura de su propio epitafio, Trimalcio comenzó a llorar amargamente. Fortunata le imitó, lloró también Habinas, y todos los esclavos, como si asistieran al entierro de su amo, se deshicieron en llanto. Comenzaba a enternecerme incluso a mí, cuando dijo Trimalcio de improviso:

—Puesto que todos sabemos que vamos a morir, ¿por qué no vivimos lo más alegremente posible? Ahora, para colmar nuestros placeres, vamos al baño. Lo he probado ya y os aseguro que no os arrepentiréis. Está más caliente que un horno.

—Efectivamente, es una idea excelente hacer dos días de uno. ¡Me place en extremo!

Y el entusiasmado Habinas, una vez dichas estas palabras, siguió a Trimalcio con los pies desnudos. Yo me volví a Ascylto y le pregunté:

—¿Qué hacemos? A mí, la sola vista del baño basta para que me muera del sobresalto.

—Simularemos seguirles —me respondió— y en la confusión nos iremos.

Como me pareció bien, cruzamos el vestíbulo guiados por Giton y alcanzamos la puerta, pero al ir a salir, un perro enorme nos causó tal terror con sus ladridos, pese a estar encadenado, que Ascylto, por escapar, cayó en un estanque y yo, que sereno me asusté de un perro pintado, entonces, tan ebrio como mi amigo, caí con él, mientras intentaba ayudarle. Por fortuna, el portero vino a salvarnos. Bastó su presencia para que el perro callase y nos sacó del vivero, muy temblorosos. Giton, más despierto que nosotros, encontró un medio admirable de asegurarse contra los ataques del animal, echándole unos pedazos de lo que nosotros le dimos durante la cena, y el perro, ocupado en comerse su ración, se calmó al instante. Ateridos de frío, pedimos a nuestro salvador que nos abriese la puerta, pero él nos dijo:

—Os equivocáis. No se puede salir por donde entrasteis. Los invitados de Trimalcio nunca pasan dos veces por la misma puerta. Se entra por un lado y se sale por el otro.

LXXII

¿Qué podíamos hacer? Desgraciadamente, no conocíamos la salida de aquel nuevo laberinto. Aunque, muy en contra de nuestra voluntad, acabábamos de bañarnos, rogamos al portero que nos señalase el camino del baño. Entregamos nuestras ropas a Giton para que las secase y, desnudos, seguimos un estrecho pasadizo, que parecía una cisterna frigorífica, en la que encontramos a Trimalcio, de pie, y también desnudo, declamando, con su acostumbrada presunción, frases insulsas que tuvimos que escuchar. Afirmaba que nada era tan delicioso como bañarse lejos de la multitud; que aquel cuarto antes era un horno; por último, ya cansado de estar de pie, se sentó, pero por desgracia había allí un fuerte eco y le entró el deseo de cantar, entonando canciones, que los entendidos aseguraban ser de Menécrates, y haciendo retumbar la bóveda con sus relinchos, entrecortados por el hipo de la embriaguez. Algunos de los asistentes daban vueltas en torno al baño con los pies en alto; otros se empujaban mutuamente, dando gritos ensordecedores; aquí unos, con las manos a la espalda, intentaban recoger unos anillos del suelo y allí otros, con la rodilla en tierra, curvaban el cuerpo, procurando tocarse el talón con la cabeza. Dejando que los borrachos se divirtiesen como podían, bajamos con Trimalcio a otra sala y, una vez disipados los últimos restos de la borrachera, nos dirigimos a un comedor donde Fortunata disponía un nuevo y espléndido refrigerio para obsequiarnos. Unas figuritas de bronce, que representaban pescadores, sostenían las lámparas que adornaban el techo; las mesas eran de plata maciza, las copas de arcilla dorada y frente a nosotros se encontraba un odre del que manaba vino en abundancia.

—Amigos —dijo entonces Trimalcio—, hoy cortan por primera vez la barba a mi esclavo favorito; se trata de un excelente muchacho al que aprecio de veras. Bebamos como esponjas, para que cuando nazca el día nos encuentre aún en la mesa.

LXXIII

En aquel momento, cantó el gallo. Trimalcio, demudado, encargó a los sirvientes que echasen inmediatamente vino encima de la mesa y que con el mismo líquido regaran las lámparas. Luego, pasó la sortija de la mano izquierda a la derecha y dijo:

—No sin motivo nos avisa ese heraldo del día. Su voz de alarma indica, a mi juicio, que estallará un gran incendio en los alrededores o que alguien va a morir. ¡Alejemos al augurio! Ofrezco una recompensa al que me traiga a ese profeta de la desgracia.

En cuanto lo hubo dicho, le trajeron un gallo de la vecindad. Trimalcio lo condenó al fuego de la cocina. Dédalo, el hábil cocinero que convirtiera un cerdo en aves y peces, lo cortó en pedazos para echarlo a una caldera de agua hirviendo, mientras Fortunata, en un mortero de madera, reducía a polvo la pimienta. Al concluir, Trimalcio se volvió a los esclavos:

—¿Y bien? —dijo—. ¿Aún no habéis cenado? Pues id ahora y que vengan otros a reemplazaros.

Una nueva hueste de sirvientes se presentó al instante. Los que se iban exclamaron:

—¡Salve, Cayo!

Y los que entraban, dijeron:

—¡Ave, Cayo!

Pero en este momento se turbó nuestra alegría. Entre los recién llegados, se encontraba un niño de tan atrayente porte, a quien abrazó Trimalcio, mientras le cubría el rostro de besos. Fortunata, haciendo valer sus derechos de esposa, comenzó a insultar a su marido, echándole en cara sus lujuriosos extravíos y sus vergonzosas inclinaciones. Al fin, agotados todos los calificativos, le gritó:

—¡Perro!

Trimalcio, confuso e irritado por ese ultraje, le arrojó con fuerza una copa a la cara y Fortunata comenzó a gritar, como si le hubieran saltado un ojo, al tiempo que, temblando, se cubría el rostro con las manos. Escintila, consternada por el incidente, la tomó en sus brazos, cubriéndola con su cuerpo a modo de escudo. Un esclavo oficioso se apresuró a ofrecer a Fortunata un vaso de agua helada para mojarse la mejilla herida. La esposa de Trimalcio, con la cabeza inclinada, se deshacía en llanto y en gemidos. Por el contrario, su marido furioso aún y sin dejarse conmover, dijo:

—¿Es que esa miserable olvida que fui yo quien la sacó del fango? ¿No es a causa mía que hoy ocupa una posición destacada?

Pues ya veis que se hincha como un sapo. Escupe hacia arriba y la saliva le cae en la cara. Eso no es una mujer; es un leño. Cuando estás a su lado, notas siempre el fango del que la saqué. Así me sean propicios mis genios tutelares, que yo rebajaré el orgullo de esa Casandra[35] que quiere calzarse mis coturnos. Cuando no tenía dinero, pude haberme casado con mujeres que aportaban miles de sestercios. Te consta que es verdad, Habinas. Ayer mismo Agatón, llamándome aparte, me decía: «Te aconsejo que no permitas que tu casa acabe contigo». Mientras, yo, por delicadeza, por no parecer voluble, me ato de manos y de pies. De acuerdo. Yo mismo me encargaré de que a mi muerte tengas que remover la tierra con las uñas para verme de nuevo y, para que desde este momento sepas el daño que a ti misma te has causado, te prohíbo, Habinas, que coloques su estatua en mi tumba, porque en mi última morada quiero descansar en paz. Además, para recordarle que tengo poder para castigar a quien me ofende, no deseo que me bese después de muerto.

LXXIV

Cuando ya de este modo hubo desahogado su furor, Habinas le aconsejó que se calmara, diciéndole:

—Nadie está exento de pecar. Somos hombres, no dioses.

También Escintila, llorando, advirtió:

—En nombre de tu genio familiar, carísimo Cayo, apiádate.

Trimalcio no pudo ya retener las lágrimas.

—Habinas —exclamó—, te pido, por todos los votos que hago para que aumente mi fortuna, que me escupas a la cara si he sido culpable. Besé austeramente a ese niño, no por su belleza, sino por

---

35. Trimalcio vuelve a confundir los personajes de la *Ilíada,* pues Casandra no era orgullosa. Simplemente, se negó a admitir a Helena por considerarla la perdición de Troya. Véase nota 22.

su talento. Sabe ya diez partes de la oración, lee de corrido cualquier libro y con lo que ahorra de su comida diaria ha conseguido pagar su libertad y comprar un armario y dos copas. ¿No es digno de afecto? Pues Fortunata me lo prohíbe. ¿Quieres que sólo te mire a ti, lujuriosa? Te aconsejo que, en bien tuyo, comas en paz los bocados que yo te di, ave de rapiña, y no me enfurezcas, pues podría hacer alguna cabezonada. Tú me conoces y sabes que cuando decido algo soy testarudo y me mantengo en lo resuelto como un esclavo donde le ha hundido el martillo. Pero debemos acordarnos de que estamos vivos. Os pido, amigos, que recobremos nuestro anterior júbilo. Yo no era más que un liberto, lo mismo que vosotros, pero por mi virtud he llegado donde ahora estoy. Sólo el corazón forma al hombre, pues lo demás nada vale. Compro bien, vendo acertadamente. El resto, alguno de vosotros sabrá decirlo en mi elogio. Ahora gozo de dicha y aún tú, borracha, sigues llorando. Ya se encargarán los Hados de hacerte llorar. Pues, como os decía, mi excelente conducta es la que me ha elevado. Cuando regresé de Asia, no era más alto que ese candelabro. A diario me medía con él y, para que me creciese pronto la barba, me frotaba la cara con aceite de las lámparas. Durante catorce años, fui la delicia de mi amo, haciendo el papel de su hembra. No me avergüenza decirlo, pues mi deber era obedecerle. Al mismo tiempo era también el favorito de mi señora. Ya comprendéis lo que quiero decir, pero me lo callo pues no soy presuntuoso.

LXXV

»Al fin, por deseo de los dioses, fui el dueño de mi casa y comencé a vivir a gusto. ¿Qué más puedo deciros? Mi dueño me nombró su heredero, juntamente con el césar, y pude recoger un patrimonio digno de un senador. Pero como nada satisface al hombre, se me antojó comerciar y, según ya sabéis, hice construir cinco naves que cargué de vino; era la época del oro en barras. Las envié a Roma, pero, como si así hubiese estado dispuesto, las cinco naves naufragaron. Esto es una realidad; no un cuento. En un solo día Neptuno se engulló mis treinta millones de sestercios. ¿Imagináis que desmayé? No, ¡por Hércules!, pues esa pérdida me animó a probar nuevamente fortuna y, pese al fracaso, volví a los negocios e hice envíos mayores, mejores y con más suerte. Sabéis que cuanto más grandes son las naves, más estabilidad tienen. Cargué las mías de vino, tocino, habas, perfumes de Capua y esclavos. Entonces, Fortunata me dio una prueba de amor. Vendió todas sus alhajas y todas sus ropas para ponerme en la mano cien monedas de oro, que fueron la base de mi prosperidad. Sólo sucede lo que los dioses quieren. Gané diez millones de sestercios en un solo viaje. Comencé por rescatar todas las tierras que me legara mi amo y que yo había empeñado. Después, construí un palacio y me dediqué a la compra y venta de bestias. Cuanto tocaba, se convertía en oro. Una vez me vi más rico que todos los propietarios del país, abandoné el comercio y me limité a prestar dinero, con intereses, a los libertos. Estaba decidido a renunciar a toda clase de negocios, cuando me hizo cambiar de opinión un astrólogo que llegó aquí por casualidad. Era griego, Serapa de nombre y parecía inspirado por los dioses. Me recordó varios incidentes de mi vida, que yo había olvidado, con una gran abundancia de detalles. Se hubiera dicho que leía en mis entrañas y que incluso podía decirme lo que cené la noche antes. Era para creer que compartió mi propia vida.

LXXVI

»Me parece que tú, Habinas, estabas presente cuando me dijo: "Te has hecho tu único dueño, empezando de la nada. Pero no tienes suerte con tus amigos, ya que sólo obligas a ingratos. Tus dominios son muy vastos, pero en tu seno alimentas a una víbora". ¿Qué más os puedo decir? Me advirtió que viviría aún treinta años, cuatro meses y dos días y que muy pronto recibiría otra herencia. Esto es cuanto he podido saber de mi destino. Si puedo unir la Apulia a mis posesiones, tendré una gran satisfacción. Mientras, protegido por Mercurio, hice construir este palacio. Consta de cuatro comedores, veinte dormitorios y dos pórticos de mármol y en el piso superior, otro departamento, la cámara en que duermo, la habitación de esta serpiente y, además, otra para el portero y cinco más para los amigos. Sólo os diré que Escauro, cuando viene aquí, prefiere alojarse en mi palacio menor que en el de su padre, que está a la otra orilla del mar. Hay, además, otras varias piezas que quiero enseñaros. Creedme que tanto vales según tengas y que te consideran por lo que posees. Así que yo, amigos míos, que no era más que una rana, ahora soy casi un rey. Pero ahora, Estico, trae las túnicas con las que han de sepultarme, los perfumes y un poco del vino con el que rociarán mis huesos.

LXXVII

No se retrasó mucho Estico y entró casi enseguida con un sudario blanco y una túnica consular. Trimalcio hizo que las tocáramos, para que comprobásemos que eran de pura lana y añadió, sonriendo:

—Ten mucho cuidado, Estico, no vayan los gusanos y las ratas a mancharlas o roerlas, pues en tal caso te haré quemar vivo. Quiero que me entierren con pompa, para que el pueblo bendiga mi memoria. —Mientras hablaba, rompió un frasco de esencia de nardo e hizo que todos nos perfumásemos. Luego, añadió—: Confío en que este aroma me dará tanto placer después de muerto como al olerlo lo experimento ahora. —Hizo a continuación echar vino en un gran vaso y agregó—: Imaginad que os han invitado a mis funerales.

Las continuas libaciones nos causaban ya náuseas y Trimalcio lo advirtió, pese a estar borracho perdido, por lo que hizo que entrase un coro, para distraernos de nuevo. Se colocó en un elegante lecho, con la cabeza apoyada en unos cojines.

—Suponed —dijo— que he muerto y hacedme una hermosa canción fúnebre. Los coros le obedecieron y el favorito del marmolista Habinas, que quizás era el más honesto del grupo, se dedicó a acompañarlos con unos agudos silbidos que pretendía eran la imitación de una flauta. Los guardas de la región, al oír aquellos berridos, imaginaron que se había prendido fuego a la casa de Trimalcio y, movidos por el celo, derribando puertas, se precipitaron en el comedor con odres de agua y hachas. Nosotros aprovechamos la oportunidad y, con un sencillo pretexto, nos despedimos de Agamenón y escapamos tan aprisa como el que huye de un verdadero incendio.

LXXVIII

Carecíamos de antorchas para iluminarnos y estuvimos vagando a la ventura. Era medianoche y el silencio que en todas partes reinaba no nos daba muchas esperanzas de encontrar a alguien que nos pudiese proporcionar una luz. Para colmo de desgracia, estábamos borrachos y no conocíamos los caminos, que en esos lugares son difíciles de encontrar incluso de día. Así, al cabo de una hora de andar por peñascos y espinos que nos destrozaban los pies, sólo la habilidad de Giton nos sacó de ese mal paso. La víspera, a pleno día, temiendo extraviarse, tuvo la precaución de señalar con tiza los pilares y columnas ante los que pasábamos y la blancura de las indicaciones le indicaron el camino. Cuando llegamos a la posada, tuvimos un nuevo contratiempo. La propietaria, que estuvo bebiendo con unos viajeros, dormía de un modo tan profundo que ni abofeteándola habría despertado. No nos hubiera quedado más remedio que pasar la noche al raso de no llegar un mensajero de Trimalcio, hombre de fortuna propia, pues poseía diez carros, quien pronto se cansó de llamar y, rompiendo la puerta, nos hizo entrar en la casa. Nada más alcanzar el dormitorio, me metí en cama con mi querido Giton. La suculenta cena me había encendido las venas con un fuego devorador que sólo podía apagar un océano de lujuriosas voluptuosidades.

> ¡Qué noche aquella, oh, Venus!
> La voluptuosidad nos invadía
> y al ardor de los besos, todo fuego.
> El supremo placer es, ¡oh, mortales!
> morir de amor en brazos de la orgía.

Pero me alegraba sin motivo pues, en cuanto satisfecha la lujuria los vapores del vino adormecieron mi mente, Ascylto, siempre dispuesto a inventar algo que me mortificase, me arrebató a Giton de entre los brazos y se lo llevó a su lecho, usurpando sin escrúpulos los placeres que sólo a mí me correspondían sin que el muchacho advirtiese la sustitución que me ofendía o simulando no advertirla. Al despertarme, busqué en vano el objeto de mi amor y lo vi en brazos de Ascylto. Para vengarme de los dos perjuros, estuve tentado de clavarles mi espada, haciéndoles pasar del sueño a la muerte. Pero, pensándolo mejor, desperté a Giton a gritos y apostrofé a Ascylto del siguiente modo:

—Puesto que con tu vergonzoso comportamiento has violado todas las leyes de la amistad, toma lo tuyo, vete y no manches más estos lugares con tu presencia.

Ascylto se avino a lo propuesto pero, después de repartirnos nuestro equipaje, añadió:

—¡Alto! Ahora dividamos al muchacho.

LXXIX

Tomé a burla estas palabras, pero él, esgrimiendo su acero, me dijo:

—No gozarás tú solo de esa prenda, sobre la cual pretendes tener absoluto derecho. Necesito mi parte o, de otro modo, esta espada me la dará.

Yo le imité, arrollando mi manto a la mano izquierda y poniéndome en guardia. Mientras nos dominaba tan miserable demencia, el desgraciado niño se abrazaba a nuestras rodillas para suplicarnos que no hiciéramos de aquella posada escenario de una nueva Tebaida, que no manchásemos de sangre las manos que poco antes se estrechaban a impulsos de la más tierna amistad.

—Si es necesario que alguien muera —decía—, aquí tenéis mi cuello desnudo. Ahogadme, degolladme con vuestros aceros. Yo debo pagar, pues soy la causa de que haya concluido vuestra amistad.

Ante sus súplicas, envainamos las espadas, lo que inició Ascylto.

—He encontrado un recurso para evitar discordias —dijo éste—. Que elija Giton a quien prefiere; dejémosle que libremente escoja quién quiere por hermano.[36]

Seguro de que nuestras relaciones amorosas, más antiguas, debían habernos unido, acepté la proposición y esperé el fallo del muchacho. Pero éste, sin vacilar, sin titubeos, eligió por hermano a Ascylto. Anonadado por el resultado, ni se me ocurrió disputarle a Giton y caí en el lecho, donde me hubiera dado la muerte de no contenerme la idea de que así aumentaría el triunfo de mi rival. Orgulloso por el éxito, Ascylto se fue, llevándose el trofeo de la victoria y dejando a su antiguo compañero en la prosperidad y en

---

36. En este caso, la palabra tiene un significado distinto. Significa amante.

los días adversos, solo y sin recursos en país extraño, pese a que el día antes aún me llamaba su amigo.

La amistad ya no existe. La reemplaza
hoy día el interés. Todos son cálculos
como el ajedrez. Si la fortuna
alegre te sonríe, tendrás tantos
amigos como quieras; si la pierdes,
te volverán las espaldas con descaro.
Sólo amigos se ven en las comedias,
mas no hay amigos fuera del teatro.

LXXX

No cedí mucho tiempo a la desesperación y, temiendo que viniera Menelao, nuestro anfitrión, y me encontrase solo, reuní mi equipaje y me trasladé a otra posada, en un barrio menos frecuentado y cercano al mar. Estuve allí tres días sin salir. El recuerdo del desdén e ingratitud de Giton no me abandonaba jamás; me golpeaba el pecho, del que escapaban sollozos desgarradores, y más de una vez dije, dominado por la desesperación:

—¿Por qué no se abrirá la tierra y me tragará? ¿Por qué el mar, tan feroz hasta con los inocentes, me respeta? Maté a mi anfitrión y me salvé del castigo; como premio a tanta audacia, aquí estoy abandonado en una posada de esta miserable villa griega, abandonado como un mendigo o un desterrado. ¿Y por quién sufro esta soledad? Por un adolescente manchado por toda clase de crímenes, quien, según propia confesión, fue desterrado de su país, que debe su libertad a las más vergonzosas complacencias, un sodomita que vendía sus favores a quien mejor los pagaba y al que compraron para servir de mujer. ¿Qué más puede decirse? ¡Oh dioses! También por otro que tomó los vestidos femeninos a la edad en que otros lucen la toga viril, quien desde su más tierna infancia renunció a su sexo y que en una prisión hizo de hembra para complacer a los más viles esclavos. Uno que después de haber pasado de mis brazos a los de mi rival, igual que una prostituta, rompe los lazos de nuestra amistad y, sin el menor pudor, peor que la más vil de las mujerzuelas, sacrifica en una sola noche cuanto tiene por su nueva pasión. Ahora, yacerán siempre juntos, como amantes enamorados, y quizás en este instante, descansando de su placer, se burlen de mi abandono. Pues, o no soy un hombre, libre por su nacimiento, o lavaré mi ofensa con su sangre.

LXXXI

Al instante, me ceñí la espada y, temiendo que mi debilidad apagase mi indignación, comí más copiosamente para aumentar mi vigor y salí de la posada, recorriendo todos los pórticos a grandes pasos, igual que un loco. Iba como extraviado, gesticulando amenazadoramente, sin pensar más que en sangre y matanzas. A cada momento, me llevaba la mano a la espada, con la que soñaba vengarme, cuando un soldado se fijó en mí. No sé, a ciencia cierta, si era un desertor o un delincuente.

—¿Quién eres tú? —me preguntó—. ¿A qué legión perteneces? ¿Cuál es tu centuria?

Sin alterarme, me inventé al instante una legión y centuria, con las que salir del paso.

—Dime —siguió él—, ¿es que en este ejército los soldados se pasean con esa clase de calzado?

Me ruboricé y comencé a temblar, lo que me vendió al instante. Me despojaron de la espada y tuve que desandar el camino hasta la posada. Me fui calmando poco a poco y acabé agradeciendo al soldado aquel rasgo de audacia que me quitó el acero homicida.

El insatisfecho deseo de venganza me mantuvo intranquilo y desvelado casi toda la noche. Al amanecer, por calmar mi inquietud y olvidar la injuria que tanto me hería, salí de la posada y fui recorriendo todos los pórticos, hasta que entré en una galería adornada con cuadros muy notables. Los vi de Zeuxis, que seguían lozanos, pese al paso del tiempo. Examiné también los bocetos de Protógenes,[37] que casi superaban a la naturaleza y que toqué con un respeto casi religioso y vi también tablas del divino Apeles,[38] de las que los griegos llaman monocromos.[39] Tan reales resultaban los dibujos y tan acertado el color, que se las hubiera tomado por escenas auténticas, animadas por el genio del artista. Aquí se elevaba al cielo un dios cabalgando en un águila, allá Hilas[40] rechazando las lascivas caricias de una náyade y más lejos Apolo, llorando el asesinato que había cometido, adornaba su lira que tomaba de un jacinto[41] recién abierto. Ante tales maravillas, y olvidando que me encontraba en un lugar público, exclamé en voz alta:

—¿Así que el amor no perdona ni a los dioses? Júpiter, al no hallar en el cielo la beldad que le satisfaciera, bajó a la tierra en busca de su amor, pero no agradó a nadie. La ninfa de Hilas hubiera dominado su pasión si su dicha hubiese impedido la de

---

37. Protógenes, pintor griego del siglo IV a. J., a quien se le equiparaba a Apeles. Vivió muy pobremente hasta poder triunfar.

38. El más importante pintor de Grecia. Se cita de él, como caso muy raro, que carecía de envidia y ayudaba y animaba a todos los artistas jóvenes que acudían a consultarle.

39. Monocromos: esculturas o dibujos sin color.

40. Hilas era uno de los argonautas, a quien Hércules, en una ocasión, envió a tierra en busca de agua. Las ninfas lo raptaron por guapo y, para que nadie le encontrase, lo convirtieron en eco.

41. Jacinto era un pastor compañero de Apolo, a quien éste mató involuntariamente. Entristecido, hizo que su alma se convirtiese en esa flor.

Hércules. Apolo hizo revivir en una flor al hijo que adoraba y todas las fábulas están llenas de amorosas relaciones que no estorban ni rompen rivales. Sin embargo, yo estoy en compañía de un anfitrión más cruel que Licurgo.

Mientras así lanzaba al viento mis inútiles lamentos, un anciano de cabellos blancos y rostro reflexivo entró en la galería. Parecía muy comprensivo y su aspecto era cuidadoso. Por su porte, le adiviné uno de esos literatos a quienes desprecian los ricos. Se me acercó y me dijo:

—Yo soy poeta y me satisface no serlo malo, a creer las muchas coronas públicas que se me han otorgado, aunque con frecuencia también se les dan a los necios. ¿Por qué, te preguntarás, voy tan mal vestido? Por ese mismo motivo: el amor a las letras no enriquece a nadie.

> Al mar desafiando se encuentra la fortuna;
> el oro del vencido se embolsa el vencedor;
> quien vende sus favores a bellas, se enriquece;
> y a costa de los necios el vil adulador;
> sólo vive muriendo, y miserable,
> el que de artista tiene vocación.

LXXXIII

»No dudes de que así es; quien, enemigo de todo vicio, insiste en seguir el camino derecho, sus costumbres distintas de las generaciones acaban, más pronto o más tarde, por atraerle el odio general. ¿Quién va a probar lo contrario de lo que le gusta y de lo que hace a diario? Además, aquellos que sólo se preocupan de amontonar riquezas, se oponen a que ningún hombre sea considerado sino por el valor de su fortuna, así que por más que se jacten de su talento literario como don superior, los ricos afirman que deben ceder el paso a los que poseen dinero.

—No comprendo el motivo de que el talento sea hermano de la pobreza —dije suspirando.

—Haces bien en dolerte de la suerte de los literatos —comentó el anciano.

—No suspiro por eso —repliqué—. Mi dolor tiene causas mucho más graves.

Y por esa tendencia del hombre hacia la confidencia, le relaté mi aventura, le expliqué mis cuitas y expuse toda la perfidia de Ascylto a quien pinté con los tonos más sombríos.

—¡Quieran los dioses —gemí—, que el pérfido compañero que me obliga a la continencia sea capaz de dolerse de mi situación, pero es un criminal endurecido, doctorado en iniquidades!

En vista de mi ingenuidad, intentó consolarme y, para distraerme de mi tristeza, me refirió una aventura galante de su juventud.

LXXXIV

—Cuando fui a Asia, como parte de la comitiva de un cuestor, acepté con singular agrado la hospitalidad de un vecino de Pérgamo, no sólo por la elegancia y comodidad de su casa, sino por la hermosura de su hijo. Y para que el padre no sospechara el amor que el muchacho me inspiraba, recurrí a este disimulo. Cuantas veces, de sobremesa, se mencionaban las costumbres sodomitas, tan generalizadas, las censuraba con tal vehemencia, apostrofaba tan indignado a quienes practican ese comercio y protestaba en tono tan severo de que se tuviera conversaciones obscenas, que todos, especialmente la madre del muchacho, me tenían por uno de los siete sabios. Muy pronto me encargaron dirigir los estudios del niño, de darle lecciones y de guiarle en el gimnasio. Aconsejaba siempre a los padres de mi discípulo que no admitiesen en su casa a ninguno de esos seductores de la juventud. Un día de fiesta, mientras reposábamos en los triclinios después de una copiosa comida, por pereza de subir a nuestros dormitorios, advertí, cerca de la medianoche, que el chiquillo no dormía. Entonces, en voz baja pero clara para que me oyese, hice el siguiente voto:

»—¡Oh, Venus! Si puedo besar a mi discípulo sin que él lo sienta, prometo regalarte un par de palomas mañana mismo.»

Al oír el precio de mi lujurioso deseo, el chiquillo simuló roncar y mientras él fingía estar dormido le cubrí de besos. Satisfecho de este principio, al día siguiente me levanté muy temprano y elegí un buen par de palomas que le entregué, para cumplir mi voto.

LXXXV

Aquella noche, animado por el éxito de la anterior, amplié mi deseo.

—Si —dije en voz alta—, mientras recorro con las manos todo el cuerpo no se despierta, regalaré a mi discípulo dos magníficos gallos de pelea. Al oírlo, él quiso acercarse a mí, temiendo sin duda que me durmiese, pero yo me di prisa y voluptuosamente recorrí con placer lúbrico todo su cuerpo. En cuanto llegó el día, me apresuré a cumplir mi promesa, con lo que colmé su júbilo. A la tercera noche, en que me sentía más audaz, dije, acercándome al oído del chiquillo:

—¡Dioses inmortales, si consigo llevar a término el coito pleno y delicioso sin que lo advierta mi discípulo, mañana le regalaré una hermosísima jaca macedonia!

Jamás Febo favoreció a mi alumno con un sueño tan profundo. Primero, le acaricié con avidez, después le fui cubriendo de ardientes besos y al fin gocé y saboreé mi dicha completa, colmando todos mis deseos. Al día siguiente, el niño esperaba el regalo sentado en su dormitorio. Como comprenderás, no es tan fácil obsequiar una jaquita, como un par de palomas o unos gallos de pelea. Aparte de la diferencia de precio, por el temor que tuve de que sus padres sospechasen. Por tanto, al cabo de algunas horas de pasear, regresé a casa y le di un beso como único regalo. Él se me echó al cuello y mirando a un lado y a otro, exclamó:

—Te pido, señor, que no me hagas sufrir. ¿Dónde está la jaca?

—No he encontrado ninguna a mi gusto —respondí—, por lo que el regalo se retrasa unos días. Sin embargo, cumpliré mi palabra.

LXXXVI

Aunque la ofensa me cerró el corazón del niño, que supe abrirme con las supercherías antes relatadas, no tardé en obtener de él las mismas libertades. Días después, una feliz casualidad me proporcionó la ocasión que yo esperaba y en cuanto vi a su padre dormir profundamente, rogué al amado chiquillo que hiciéramos las paces, permitiéndome que le procurase un placer tan grande como el que yo iba a experimentar. Empleé cuantos argumentos me dictó la lujuria. Sin embargo, él, rencoroso y enfadado, me contestó con estas simples palabras:

—O duermes o se lo digo ahora mismo a mi padre.

Nada hay tan audaz como un deseo lúbrico. Me limité a decir:

—Llama a tu padre si quieres.

Me eché en su lecho y le arranqué los favores que me negaba. Sólo opuso una resistencia muy débil, lamentándose de que por faltar a mi palabra le había convertido en la irrisión de sus compañeros, ante quienes presumía de mi generosidad.

—Para demostrarte que no soy como tú —me dijo más tarde— puedes repetir si lo deseas.

No desaproveché la invitación puesto que habíamos hecho las paces y me dormí en sus brazos. Mas el muchacho no quedó satisfecho con la segunda vez, pues despertaba al placer con el ardor de sus pocos años, y sacudiéndome, me preguntó:

—¿No repites?

Tenía aún un resto de vigor y le acometí por tercera vez, aunque ya sin entusiasmo. Al fin, agotado por los tres esfuerzos, volví a dormirme. Pero antes de una hora, el chiquillo me despertó de nuevo, para indagar:

—¿Es que ya se ha terminado?

Entonces, furioso porque me interrumpía el sueño y sin deseo de más placeres, repetí sus anteriores palabras, en tono amenazador:

—O te duermes o se lo digo ahora mismo a tu padre.

LXXXVIII

Animado por este relato, le pregunté al viejo, mucho más culto que yo, acerca de la antigüedad de varias de las pinturas y sobre el argumento de algunas de ellas, que desconocía. Le pregunté también por la causa de que hayan decaído las bellas artes, en especial la pintura de la que ya no quedan vestigios.

—El poder del dinero —me dijo él— es la causa principal. Antes, cuando sólo se ensalzaba el auténtico mérito, las bellas artes florecían y los hombres disputaban entre sí por la gloria de legar nuevos descubrimientos a las generaciones venideras. Por eso pudimos ver a Demócrito, cual un nuevo Hércules, consumir su vida estudiando el jugo que extraía de todas las plantas para conocer a fondo sus propiedades. Euxodio envejece subido a lo alto de un monte para contemplar desde más cerca los movimientos de los astros. Crísipo tomó tres veces eléboro, de modo que se purificase su alma, y así estar más preparado para los descubrimientos. Pero ciñámonos a las artes plásticas. Lisipo[42] murió de

---

43. Lisipo, escultor griego del siglo IV a. J. Era amigo y paisano de Apeles. Se le considera como el verdadero creador del estilo helenístico. Él decía que aprendía de la naturaleza.

hambre por dedicar toda su vida a perfeccionar una estatua, Miron, de quien podría decirse que hizo pasar el alma humana y los instintos animales al bronce, no ha dejado herederos. Nosotros, en cambio, entregados a la voluptuosidad y a la embriaguez, ni siquiera intentamos conocer las artes. Si bien censuramos la antigüedad, sólo enseñamos y cometemos toda clase de vicios. ¿En qué hemos convertido la dialéctica? ¿Qué se ha hecho de la astronomía? ¿En qué ha quedado la moral, ese hermoso camino de la sabiduría? ¿Quién —añadió— va al templo a pedir que se le otorgue la elocuencia? ¿Quién implora de los dioses el conocimiento de la filosofía? Ni siquiera les piden salud. La multitud que sube al Capitolio, antes de pisar el templo, promete ofrendas si entierran a un pariente rico, otros si descubren un tesoro y aquellos si consiguen reunir, antes de la muerte, treinta millones de sestercios. El propio Senado, árbitro del honor y de la justicia, no vacila en fomentar esa decadencia, comprando los favores de Júpiter. No lamentes, pues, que haya decaído la pintura, ya que los dioses encuentran mayor placer contemplando un lingote de oro que las obras maestras de Apeles, Fidias o cualquiera de esos griegos locos. Pero me doy cuenta de que te absorbe por completo esa tabla que representa el sitio de Troya. Intentaré, por tanto, darte la explicación en verso:

LXXXVIII

Tras diez años de sitio encarnizado
que conmueve a Frigia,
Troya resiste aún, e irreductible,
el valor de los griegos desafía.
Pero éstos, escuchando del oráculo
la prudente consigna,
construyen un caballo gigantesco
donde mil combatientes se avecinan.

Ya la flota de Atrida dispersada
¡oh, Patria!, crees que a la paz caminas,
y esperas el presente que a tus dioses
ofrecen y propician
tus sitiadores desleales. Pero
Laocoonte, que aquella farsa presentía,
amonesta valiente a los troyanos
y a deshacer aquel caballo excita.
Para dar el ejemplo lanza un dardo
que a los pies queda de la mole equina
y aplauden los troyanos;
mas el prudente Laocoonte afila
el hacha y con golpe asaz certero
quebranta al monstruo griego que vacila;
y mal seguros ya considerándose
los mil guerreros que en su vientre hacina,
dan un grito espantoso, que los frigios
creen precursor de males sin medida.
En efecto; el caballo apenas dentro
de los muros de Troya, el mar se agita,
se encrespa y se alborota con rugidos
indócil a Neptuno que lo guía.
La turba amedrentada
mas y más se contrista
al ver surgir del seno del océano,
donde Tenedos álzase en la orilla,
dos monstruosas serpientes que hasta el cielo
levantan espumas y salpican.
Causan horror y espanto con sus ojos
que semejan a brasas encendidas
y sus lenguas terribles
que como el filo de la espada brillan.
Dos niños, dos gemelos, del Pontífice
dulces prendas queridas,

que se hallaban tranquilos y contentos
en la playa jugando, son las víctimas
de los feroces monstruos, sin que el padre
que los ve perecer, triste, consiga
salvarlos, desdichado, del anillo
de las serpientes furias asesinas.
En esto, cuando toda la turba conmovida
el dolor del Pontífice comparte,
se rompe el vientre de la mole equina,
y los guerreros griegos aparecen
y a los tristes sitiados acuchillan,
exterminando todo cuanto alcanza
con sus filos de acero la homicida
espada que cabezas de troyanos
siega como la hoz a las espigas.
Del sueño pasan a la muerte todos
los hijos de la Frigia,
y Troya es incendiada
y muy pronto a cenizas reducida.

LXXXIX

Al concluir de recitarlo, cuantos paseaban por los pórticos lanzaron sobre Eumolpo una lluvia de piedras. Sin embargo, éste, acostumbrado a esta forma de aplausos, se protegió la cabeza y escapó del templo. Yo le seguí de lejos, hasta la orilla del mar, temiendo que también a mí me tomasen por poeta. En cuanto me vi a salvo de pedradas, me acerqué a Eumolpo, para decirle:

—Explícame, por favor, ¿es que acaso sufres una enfermedad? Aún no hace dos horas que me conoces y no como hombre, sino como poeta, me has hablado en verso. No me extraña que el pueblo te persiga con sus piedras. También yo haré provisión de ellas y cada vez que te dé un ataque te abriré la cabeza.

Él asintió, al tiempo que respondía:

—¡Oh, joven!, no es hoy la primera vez que esto me sucede y lo mismo ocurre en el teatro en cuanto recito algo. Comenzar y llover piedras suele ser instantáneo. Sin embargo, para no pelearme contigo, consiento en privarme de ese placer todo el día.

—Entonces —le dije—, si te contienes, tendremos una buena cena.

Encargué a mi anfitrión que nos preparase la comida y juntos nos fuimos al baño.

XC

Allí encontré a Giton, triste y abatido, apoyado en la pared y sosteniendo unas toallas de baño. Se comprendía que no estaba satisfecho con su servicio y, mientras yo le miraba para cerciorarme de quién era, advirtió mi presencia y se volvió hacia mí, reflejando su rostro el más intenso júbilo.

—Compadécete de mí —exclamó—, amado mío. Aquí no imperan las armas y puedo hablar con toda franqueza. Libérame de ese cruel ladrón, aunque me castigues duramente. En realidad, bastante castigado estoy al verme privado de tu afecto.

Le ordené que cesara en sus lamentos para no atraer la atención de los curiosos y, dejando a Eumolpo recitando uno de sus poemas en el baño, me llevé a Giton, por parajes fétidos y tenebrosos, hasta nuestra posada. Allí sequé sus lágrimas con ardientes besos y durante un buen rato la emoción nos impidió hablar. Los sollozos agitaban el pecho de Giton.

—¡Soy un hombre indigno! —exclamé—. Te amo a pesar de tu abandono y cuando quiero encontrar en mi corazón la herida que me hiciste con tu abandono, no veo ni la cicatriz. ¿Por qué extraña pasión me abandonaste? ¿Merecía yo esa ofensa?

Al ver que aún le quería, Giton adoptó una actitud más audaz.

—Pero —me adelanté antes de que hablara—, no busques otro árbitro que tú mismo, para decidir quién de los dos, si Ascylto o yo, te merecía. No obstante, ya no me quejo; todo lo olvidaré si tu arrepentimiento es sincero.

Entonces, yo rompí a llorar y Giton me fue secando las lágrimas con su manto.

—No seas injusto, amado Eumolpo —me dijo—. Apelo a tu buena memoria. ¿Fui yo quien te abandoné o fuiste tú quien me abandonaste? Lo confieso con toda franqueza: cuando os vi armados a los dos, busqué el amparo del más fuerte.

Al oír tan sensata respuesta, me arrojé a su cuello y le besé en la boca y para demostrarle que había recobrado mi favor y que le amaba tan tiernamente como antes, le prodigué las más dulces caricias.

XCI

Era ya de noche, y la cocinera de la posada había preparado la cena, cuando Eumolpo llamó a la puerta.

—¿Quién eres? —indagué, mirando por el agujero de la cerradura para comprobar si venía Ascylto.

Al ver sólo al anciano, le abrí enseguida. Él se tendió en el lecho y, al advertir a Giton que preparaba la mesa, asintió, diciendo:

—Te felicito por tu Ganímedes. Esta noche nos divertiremos.

No me agradó tal principio, temiendo haber admitido en mi compañía a un nuevo Ascylto. Eumolpo no se contuvo más y ofreciendo de beber a Giton, le dijo:

—Te amo más que a todos los muchachos que he visto en el baño. —Luego, apurando el vaso de un trago, añadió—: Nunca he sufrido tanto porque para entretener a los que se sentaban alrededor del agua, comencé a recitar versos y me arrojaron de allí, como tantas veces han hecho en el teatro. Entonces, te estuve buscando por todas partes, llamándote: «¡Eumolpo, Eumolpo!». De pronto, del lado opuesto vino un joven desnudo que había perdido su ropa y que gritaba: «¡Giton, Giton!» De mí se burlaban todos, imitándome, pero a él le aplaudía la multitud, llena de una admiración respetuosa. Tenía tan desarrollados los atributos de su virilidad que, más que un hombre, parecía un dios de la lujuria. ¡Oh, potentísimo joven! Estoy seguro de que sería capaz de sostener durante dos días el combate del amor, sin agotarse. Muy pronto se acercó a él cierto caballero romano, muy popular, según me dijeron, por un infame estupro y, al verle desnudo, se acercó para cubrirle con su manto, llevándoselo a casa, de modo que se asegurase la propiedad sobre tan buen encuentro. En cambio, yo no hubiese podido retirar mis ropas del vestuario de no tener un testigo que garantizase que eran mías. ¡Qué verdad es que más caso se hace de las dotes personales que de las intelectuales!

A cada palabra de Eumolpo, mi rostro cambiaba de color, pues si nos alegraba la jugada que le hicimos a nuestro enemigo, nos entristecía que pudiera volverse en contra nuestra. Como si nunca hubiese conocido a Ascylto, le pasé por alto, y luego enumeré los alimentos, bastante comunes, pero sustanciosos y nutritivos que íbamos a cenar. El famélico poeta los devoró y, una vez harto, comenzó a moralizar, desatándose en críticas contra esos hombres que desdeñan cuanto es corriente y vulgar y sólo aprecian lo que es un poco raro.

XCII

—Por una lamentable depravación —dijo— se tienen por viles los goces fáciles y sólo seducen e interesan los prohibidos.

No se ama lo que abunda ni se estima
la victoria que fácil se consigue.
Así el faisán ha desterrado al pato,

de la mesa del rico, que se engríe
con su riqueza, y los manjares caros
y de tierras lejanas comer se pide.
El grajo que salvara al Capitolio
de los furores galos ya no sirve
sino para una mesa de plebeyos;
el rico de la suya le despide.
Lo más costoso lo mejor resulta,
lo más difícil es lo que se quiere;
a la esposa suplanta la querida;
se desprecia la rosa como a Sirtes,
realzando a la anémona,
sin más que porque lejos se cultiva.

—¿Es así —indagué— como cumples tu promesa de no hacer
versos hoy? ¡Por los dioses! No nos molestarás a nosotros, que
nunca te apedrearemos. Ten en cuenta que si te oye alguno de los
huéspedes de esta posada, excitará contra ti a todos los vecinos y
lo pagaremos nosotros, pues nos creerán tus cómplices. Ten compasión; recuerda lo que ha sucedido en el pórtico y en el baño.

Giton, compasivo por naturaleza, me reprochó este lenguaje,
recordándome que se trataba de un hombre de más edad, a quien
debía respeto y consideración, especialmente por ser mi invitado.
Siguió censurando mi proceder con razones moderadas y justas,
que tenían una especial gracia al venir de la boca de aquel precioso
niño.

XCIII

—¡Feliz— dijo Eumolpo— la madre que te trajo al mundo!
¡Que siempre seas tan virtuoso! Eres el feliz ejemplo de la belleza
y la sabiduría. No me has defendido en vano, pues me convierto
en tu adorador y cantaré tus elogios en verso. Yo voy a ser tu

maestro, tu guardián, y te seguiré a todas partes, sin que intente evitarlo Eumolpo, que está enamorado de otro.

Por fortuna para Eumolpo, aquel soldado me había arrebatado la espada, pues de no ser así toda la furia que me produjera la traición de Ascylto se habría vuelto contra el viejo y la habría aplacado con su sangre. Comprendiéndolo así, Giton abandonó el cuarto con el pretexto de ir en busca de agua. Me calmó un poco su oportuna salida y, ya más sereno, advertí:

—Prefiero tus versos a tu prosa, cuando expresas en ella semejantes deseos. Tú, libertino; yo, apasionado y vehemente; comprende que no podemos congeniar. ¿Me tienes por un furioso? Evita, por tanto, los accesos de mi locura o, más claramente, vete enseguida y que no te vuelva a ver.

Aturdido por mis palabras, el viejo, sin pedirme explicaciones, salió del cuarto, cerró la puerta con doble llave, se metió ésta en el bolsillo y se fue con Giton, dejándome a mí aislado. No esperaba yo semejante acción y, desesperado, decidí ahorcarme.

Había ya unido el lecho contra la pared e iba a colocarme en el cuello el nudo corredizo, cuando se abrió la puerta y aparecieron Eumolpo y Giton, con lo que me devolvieron la vida. Al comprender el muchacho cuál era mi designio, se me echó a los brazos y, tendiéndome en el lecho, me dijo:

—Te equivocas, Eumolpo, si crees que morirás antes que yo. Mientras me encontraba con Ascylto, ya había buscado yo su espada, decidido a morir si no me reunía contigo. Y, para demostrarte que la muerte no desdeña a quien la busca, gozarás del espectáculo que me quisiste proporcionar.

Al decirlo, le arrancó una navaja de afeitar a un sirviente de Eumolpo y por dos veces se la pasó por la garganta para degollarse. Asustado, me lancé sobre el cuerpo de Giton y, quitándole el arma homicida, decidí morir a mi vez. Pero el acero no me hizo ni un simple arañazo y no sentimos dolor alguno. Se trataba de una de las navajas que dan a los aprendices de barbero, para adiestrarse. Por ese motivo el sirviente no se había conmovido al ver a

Giton aplicarse el arma a la garganta. Eumolpo contempló con sangre fría aquellas parodias de suicidio.

XCIV

Como epílogo de la comedia, el posadero abrió la puerta para traernos el segundo servicio y, al ver en el suelo a los que habían representado el papel de amantes, exclamó:

—Os ruego que me digáis, ¿sois borrachos, vagabundos o ambas cosas a la vez? ¿Quién apoyó este lecho contra el muro? ¿Qué es lo que estáis urdiendo? ¡Por Hércules!, que debéis pensar en escaparos esta noche sin pagar, pero os equivocáis. Os daréis cuenta de que ésta no es la casa de una viuda sin amparo, sino la de Marco Manicio.

—¿Es que te atreves a amenazarnos? —indagó Eumolpo y, sin esperar respuesta, le largó un sonoro bofetón.

El posadero, casi borracho por haber bebido con todos sus huéspedes, le arrojó una vasija de barro a la cabeza, que le hirió en la frente, y huyó a toda prisa. El poeta, indignado, tomó un candelabro para perseguir a Marco Manicio y le devolvió con usura los golpes recibidos. Varios criados y un buen número de borrachos acudieron al escándalo. Yo aproveché la ocasión para vengarme de la trampa que me tendiera Eumolpo y me encerré con Giton, abandonando al otro a su suerte, decidido a gozar sin rivales de mi habitación y del placer que la noche me deparaba. Entonces, los sirvientes y todos los huéspedes de la posada cayeron con saña sobre el desgraciado a quien había yo cortado la retirada. Uno amenazaba con saltarle los ojos con unas parrillas, recién retiradas del fuego; otro se cuadró ante él, en actitud agresiva, con un gancho de colgar carne, y una vieja fea, sucia y repugnante, azuzaba contra Eumolpo a un enorme perro que traía de una cadena. El poeta, sin embargo, paraba diestramente los golpes con su candelabro.

Veíamos la reyerta por un agujero que Eumolpo hiciera poco antes en la puerta al hacerle saltar el picaporte. A cada golpe que recibía, aplaudía yo entusiasmado, pero Giton, siempre compasivo, opinaba que debíamos salir a socorrer al poeta. Como no se había calmado aún mi resentimiento, para castigar a Giton por su intempestiva piedad, le propiné un puñetazo en la cabeza. Deshecho en llanto, el pobre muchacho fue a tenderse en el lecho y yo seguí observando, para no perder detalle de la escena y, conforme veía maltratar a Eumolpo, se apaciguaba mi cólera. De improviso, apareció Bargates, el procurador del distrito, que había interrumpido su cena para restablecer el orden, y comenzó a dar terribles voces para ahuyentar a los borrachos y los vagabundos. Le trajeron en litera pues estaba impedido de ambas piernas. Luego, al reconocer a Eumolpo, exclamó:

—¡Cómo!, ¿eres tú, la flor de los poetas, la víctima de esos miserables? ¿Se han atrevido a levantarte la mano? ¿Y todavía no han corrido a ocultarse donde yo no les vea? —Después, al quedarse solos, se aproximó más al poeta, para decirle con aire sumiso—. Mi mujer me desdeña. Así que, si me tienes en algo, haz una sátira contra ella que la avergüence por su conducta.

Mientras Eumolpo hablaba en secreto con Bargates, entró en la posada un pregonero, seguido de un guardián público y de un buen número de curiosos que, a la luz de una antorcha que esparcía más humo que luz, leyó esta proclama:

«Acaba de extraviarse en el baño público un adolescente. Tiene unos diecisiete años, pelo rizado, hermoso rostro y aspecto delicado. Su nombre es Giton. Quien lo devuelva o indique el lugar donde se halla recibirá mil escudos.»

No lejos, se encontraba Ascylto, con una túnica de varios colores y llevando en una fuente la recompensa prometida. Sin perder un instante, ordené a Giton ocultarse bajo el lecho, como en otro tiempo lo hiciera Ulises en el vientre de un carnero. Tal como se lo encargué, el muchacho se colgó de pies y manos de las barras de la cama, tapándose tan bien que el propio Ulises se habría confesado vencido por nuestra astucia. Yo, para evitar sospechas, eché mis vestidos en desorden sobre el lecho y me acosté, para imprimir la huella de mi cúerpo. Mientras, Ascylto, después de visitar todas las habitaciones con el guardián público, se detuvo ante la mía, concibiendo esperanzas ya que la puerta aparecía cuidadosamente cerrada. El guardián, introduciendo su lanza en el quicio, hizo saltar la cerradura. Entonces, echándome a los pies de Ascylto, le conjuré en nombre de nuestra antigua amistad y de los días tristes que pasamos juntos, que me permitiese ver por última vez al querido niño cuya ausencia lloraba. Y, para dar más verosimilitud a mis hipócritas lamentaciones, añadí:

—Sé cuál es tu propósito, Ascylto. Has venido a matarme. De otro modo, no te habrías hecho acompañar de hombres armados. Sacia tu furia. Aquí está mi cuello; ábrelo. Tu búsqueda no es más que un pretexto.

Ascylto, indignado por la acusación, juró que no tenia otro objeto que capturar al fugitivo, que no quería matar a nadie y menos a aquél en quien reconocía, pese a estar separados por una enojosa cuestión, a un carísimo amigo.

XCVII

Mientras, el guardián que acompañaba a Ascylto registró bien todos los rincones y con un palo revolvió el lecho. Por fortuna, Giton, conteniendo el aliento, evitó con destreza todos los golpes. En cuanto se fueron, Eumolpo, aprovechando que la puerta rota no impedía la entrada a nadie, se precipitó en mi habitación y exclamó, lleno de júbilo:

—¡He ganado mil escudos! Voy tras el pregonero y, para vengarme de tu mala acción, le indicaré que Giton está en tu poder.

Al verle tan decidido, le supliqué que no se complaciera matando a unos moribundos.

—Merezco tu venganza —reconocí— si pudieras llevarla a cabo. Pero el muchacho ha desaparecido entre la multitud, sin que sospeche siquiera dónde se encuentra. Por tu fe, Eumolpo, ayúdame a dar con el querido niño, aunque luego lo entregues a Ascylto.

Mientras yo intentaba persuadirle con estas palabras, Giton, que ya no podía resistir su incómoda postura, estornudó por tres veces y el viejo, alzando las ropas, vio a nuestro Ulises, al que incluso un Cíclope en ayunas habría compadecido.

—¿Cómo es esto, bandido? —dijo Eumolpo, volviéndose hacia mí—. ¿Vas a negar la evidencia? Pues bien, ni tan siquiera los dioses árbitros de las cosas humanas, toleran la mentira. Ellos han impedido que yo vagara por toda la ciudad, obligando a este niño a que estornudase.

Mientras Giton, con más tacto que yo, había empezado a curar, con unas telarañas y aceite, la herida que Eumolpo tenía en la frente. Luego, reemplazó con su propio manto el del poeta, que estaba muy desgarrado, y, al ver que comenzaba a calmarse, le besó y dijo:

—Tú eres, queridísimo padre, nuestro mejor guardián. Si amas a tu Giton, no le pierdas. Yo, que soy el único motivo de todo este escándalo, debería ser devorado por las llamas, tragado por el mar tempestuoso, y mi muerte reconciliaría a dos amigos que por mi causa dejaron de serlo.

Eumolpo, conmovido tanto por mí como por Giton y, en especial, por las caricias que éste le prodigaba, exclamó:

—Desde luego, sois un par de imbéciles. Podríais ser felices, pues tenéis méritos para ello, y no obstante, lleváis una vida miserable, de continuas inquietudes y cada día os trae nuevas torturas.

XCVIII

»Yo siempre he vivido al día, donde quiera que me he encontrado, igual que si cada hora que gozaba debiera ser la última de mi existencia. Nunca me he preocupado del mañana. Si queréis imitarme, alzad el ánimo y apartad toda preocupación. Ascylto os persigue, pues huid de él y seguidme en mi viaje a extrañas tierras. En el navío en que esta noche partiré podéis ocultaros. El patrón es amigo y os recibirá bien.

Este consejo me pareció prudente y acertado, pues me libraba de la persecución de Ascylto y me prometía una existencia más venturosa y tranquila. Vencido por su generosidad, me arrepentí de mi comportamiento y me reproché los celos que lo causaron. Le pedí perdón a Eumolpo y, con lágrimas en los ojos, prometí, aunque sea muy difícil contener los celos, que jamás diría algo que pudiese ofenderle. Por último, le rogué que él, como filósofo, no hiciera caso de mi cólera, ya que su edad le permitía una mayor calma y reflexión. Las nieves se mantienen en las tierras resquebrajadas y a las que baña un sol tibio y flojo, pero en aquella compacta y unida, bien trabajada por el arado, no cuaja, y lo mismo la cólera sólo brota en los ánimos groseros a ignorantes, pero jamás en los ilustrados y cultos.

—Para que veas que pienso lo mismo que tú —me respondió Eumolpo—, he aquí el beso de paz. ¡Fiemos en la suerte! Y, ahora, daos prisa con el equipaje, que ya es tarde.

No había aún concluido sus palabras el poeta, cuando se abrió la puerta para dar paso a un marino de enmarañada barba, quien exclamó:

—¿Qué esperas, Eumolpo? ¿Es que no recuerdas que es preciso darse prisa?

Nos pusimos en pie al instante. El viejo despertó a su criado, que se había dormido hacía rato, y le ordenó que tomase nuestro equipaje y se fuera. Giton y yo empaquetamos lo que quedaba y, tras una ferviente plegaria a Neptuno y a los dioses de la navegación, le seguimos a bordo.

XCIX

Nos situamos en un lugar alejado de la popa y, como aún no había amanecido, Eumolpo se durmió. Yo no pude conciliar el sueño. Pensaba en la imprudencia de aceptar en nuestra compañía a Eumolpo, rival más peligroso aún que Ascylto. Me inspiraba su presencia tan viva inquietud, que debí llamar decididamente a la razón para dominar mis dudas.

«Es triste —medité—, que este niño guste tanto a todos mis compañeros, pero, ¿acaso las bellezas de la naturaleza no son comunes a todos? El Sol brilla para todos los seres. La Luna, con su incomparable cortejo de estrellas, no les niega la luz ni a los animales que de noche buscan su alimento. ¿Hay algo que pueda compararse con la belleza de las aguas? Pues, sin embargo, corren igualmente para todos los habitantes de la Tierra. ¿Es que sólo el amor ha de provocar el robo o el secuestro, en vez de ser premio al mérito? Sin embargo, sólo apreciamos como es debido los bienes que nos envidian los demás. Un rival anciano no es grave. Aun cuando quisiera quitármelo, no haría más que perder el tiempo y el aliento.»

Me tranquilizó bastante pensar que era poco verosímil una tentativa así por parte de Eumolpo y, cubriéndome la cabeza con el manto, intenté dormir. Pero en aquel mismo instante, como si me persiguiera el Hado, oí una voz de sobras conocida que gritaba:

—¿Es que se han de burlar de mí?

Me aterraron sus ecos varoniles. Pero mi espanto llegó al

colmo al oír una voz de mujer que decía, por lo visto también muy furiosa:

—¡Si los dioses pusieran en mis manos a Giton, le haría el recibimiento que merece!

Ese inesperado encuentro, nos heló al niño y a mí la sangre en las venas. Yo, como dominado por una atroz pesadilla, no pude articular palabra durante mucho rato. Al fin, sacudiendo a Eumolpo para que despertara, le dije:

—Por tu fe, ¿de quién es esta nave? Te ruego que me digas quiénes viajan en ella.

El poeta, malhumorado por haberle interrumpido el sueño, contestó:

—¿Es para no dejarme dormir que has elegido el sitio más solitario de la nave? ¿Qué más te da quiénes viajan? ¿Qué te importa saber que el amo de esta embarcación es Licas de Tarento y que lleva a esa ciudad a una viajera llamada Trifena?

C

Estas palabras parecieron fulminarme, por lo que incliné la cabeza con desaliento.

—Alguna vez —dije—, debías vencerme tú, ¡oh Hado!

Giton cayó desvanecido sobre mi pecho y, cuando un abundante sudor le devolvió el conocimiento, se abrazó a las rodillas de Eumolpo.

—Apiádate —le dije— de estos dos moribundos y sé tú mismo quien nos libre de la vida. La muerte ha de llegar y si no eres tú quien nos la trae, permitirás que sean otros quienes la ejecuten.

Sorprendido por mis peticiones, Eumolpo juró por los dioses que no comprendía la causa de tanta desesperación. Él no nos tendió trampa alguna y de buena fe nos llevó a este barco, en el que había tomado pasaje incluso antes de conocernos.

—¿Qué peligros os aterran? —indagó—. ¿Cuál es el nuevo

Aníbal que navega aquí? Licas de Tarento es hombre honradísimo y no sólo posee esta nave, que él mismo gobierna, sino otras muchas, además de poseer vastos dominios. A bordo lleva un buen número de esclavos que venderá en Tarento. Éste es el monstruo, el pirata que nos da pasaje en su embarcación. También viene a bordo Trifena, mujer hermosísima, a la que agradan extraordinariamente los viajes por mar.

—Es de ellos que huimos —explicó Giton.

A continuación, le contó a Eumolpo los motivos de odio que ellos nos tenían y el peligro que corríamos. Confuso, y sin saber qué partido tomar, dijo Eumolpo:

—Imaginad que estamos en el antro de Polifemo, en la cueva de los Cíclopes. Cada uno daremos nuestro parecer y busquemos entre todos el medio de salvarnos del peligro, pues no creo que solucionase nada tirarnos al mar.

—Podríamos convencer al piloto —opinó Giton— de que nos desembarcase en el primer puerto, pagando lo que pida, claro está, con la excusa de que tu querido se encuentra muy mal a causa del mareo. Le convencerías más fácilmente si te presentas a él llorando.

—No puede ser —repuso el poeta—. Una gran embarcación como ésta no puede entrar fácilmente en la mayoría de puertos. Además, no creerían que en tan poco tiempo el mareo pueda dañar a nadie. Por otra parte, Licas, por cortesía, visitaría al enfermo. Pensad en si os conviene atraer al mismo enemigo del que huís. Sin embargo, supongamos que sea fácil cambiar el rumbo de la nave y que Licas no viene a visitarnos. ¿Cómo podríais desembarcar sin que os conocieran? ¿Lo haríais con la cabeza cubierta o descubierta? En el primer caso, todo el mundo querría ver los estragos que en vuestros rostros ha hecho el mareo. En el segundo, sería delataros al instante.

—¿A qué vienen tantos proyectos y excusas? —intervine yo—.
Sólo la audacia puede salvarnos. ¿Es que no es más fácil saltar a la
chalupa, cortar el cable y alejarnos con la corriente? Sin embargo,
Eumolpo, no deseo forzarte a que compartas el riesgo. No sería
justo que, siendo tú inocente, corrieses el mismo peligro que
nosotros. Me daría por satisfecho si de este modo pudiéramos
salvarnos.

—No es despreciable tal consejo —comentó el poeta— si fuera
viable. Advertirían al instante nuestra fuga. El piloto lo impedi-
ría, pues pasa las noches estudiando el curso de los astros y en
continua vigilancia. No podría dejar de vernos aunque dormitase,
a menos que escapáramos por el lado opuesto al que vigila. Y no
es en la proa sino en popa donde se encuentra el cable de la
chalupa, muy próximo al timón, y es por ahí que debemos huir.
Me sorprende, además, Eumolpo, que no hayas tenido en cuenta
que un marinero va en la chalupa, noche y día, para custodiarla.
Sólo matándole o arrojándole al mar, nos haríamos con ella. Con-
sulta con tu valor para ver si te sientes capaz de semejante hazaña.
Por lo que a mí respecta, estoy dispuesto a seguiros, sin miedo a
los riesgos, siempre que exista una probabilidad de salvación. No
creo que haya nadie lo bastante loco como para exponer la vida
sin esperanzas. ¿No opináis así?... Se me ocurre otro medio. Os
meteré en dos grandes vasijas, como si formaseis parte de mi
equipaje. Las ataré con correas, dejando sólo una pequeña abertu-
ra para que podáis respirar y comer. Mañana haré público que mis
dos esclavos, asustados por la posibilidad de un castigo, se arrojaron al mar durante la noche. Entonces, cuando el viento nos haya
conducido a puerto, os podré desembarcar sin que nadie sospeche.

—No estaría mal ideado —dije yo— si se tratara de cuerpos
sólidos, que pueden estar encerrados a voluntad, sin que el vientre nunca les haga traición. ¿Pero acaso no estornudaremos o
roncaremos en alguna ocasión? ¿Has pensado en esa estratagema

porque ya la has empleado antes? Reconozco que podemos estar todo un día encerrados, pero ¿qué íbamos a adelantar? Si la calma o los vientos contrarios nos retuvieran mucho tiempo en el mar, ¿qué haríamos? Jóvenes como somos y sin costumbre de ese género de fatigas, ¿podríamos convertirnos en estatuas? ¿O quedaríamos como los vestidos consumidos por las arrugas o los libros que el exceso de presión hace ilegibles? Busquemos otro recurso para salvarnos. Eumolpo, como literato, debes traer tu provisión de tinta. Tiñámonos de negro desde la cabeza a los pies para simular que somos etíopes y considerémonos felices, con tal de evitar el riesgo, pues cambiando de color engañaremos a nuestros enemigos.

—¡Eso es! —dijo Giton—. O podemos circuncidarnos para pasar por judíos, agujerearnos las orejas, para que nos tomen por árabes o nos untamos la cara con clarión, para que nos crean galos. Como si al cambiar de color, cambiásemos de cara. Comprenderás que eso no es suficiente y que todo debe estar de acuerdo para representar nuestro papel. Aun suponiendo que el mejunje con que nos embadurnamos el rostro dure lo bastante, que el agua que pueda caer no borre la pintura o produzca alguna mancha y que la tinta no ensucie nuestras ropas, lo que suele ocurrir aun cuando se la ha hecho con goma, decidme, ¿podríamos además hacer más gruesos nuestros labios? ¿Rizar nuestros cabellos, tatuarnos el rostro, como los etíopes, hacer más fuertes nuestras piernas y cubrirnos la cara de lana, para que semejen nuestras barbas? Créeme, Eumolpo, ese tinte no hará más que mancharnos el cuerpo sin cambiarlo. Escucha lo que me dicta mi desesperación. Envolvámonos la cabeza con las túnicas y arrojémonos al mar.

CII

—¡Que tanto los dioses como los hombres impidan una muerte tan horrible! —exclamó Eumolpo—. Haced mejor lo que voy a proponeros. Mi criado, al que hace algunas horas le quitasteis la navaja, es barbero. En un momento, os rasurará la cabeza y las cejas y yo os pintaré en la frente una inscripción como la que se impone a los desertores. De este modo, quedaréis desfigurados y no os conocerán quienes os persiguen.

Aceptamos la proposición y nos dispusimos a seguirla. En un extremo de la nave, al que nos dirigimos a toda prisa, el barbero nos afeitó la cabeza y las cejas. Luego, Eumolpo, con trazo firme, nos cubrió la cara con las letras que se marca a los esclavos fugitivos. Desgraciadamente, lo presenció todo uno de los pasajeros, que en un costado de la nave aliviaba su estómago alterado por el mareo, y comenzó a maldecirnos, pues tomó aquello como un mal presagio, ya que los marineros sólo sacrifican sus cabelleras en caso de naufragio. Luego, se fue a su camarote. Nosotros simulamos no entender lo que decía y nos retiramos también, bastante tristes y silenciosos. Pasamos la noche en un sueño agitadísimo. A la mañana siguiente, Eumolpo, al conoceer que Trifena se había levantado, fue al camarote de Licas, para hablarle de lo feliz de la travesía. En una pausa, Licas le dijo a la mujer, que allí estaba:

CIII

—Príapo se me apareció en sueños para decirme: «Eumolpo, a quien tanto buscas, se encuentra en tu navío».

Trifena, sorprendida, replicó:

—¡Se diría que nos hemos acostado en la misma almohada! La estatua de Neptuno a la que tanto admiré en el templo de Baya, se me ha aparecido para asegurarme: «Giton está en el navío de Licas».

—Con eso comprenderéis que Epicuro era un hombre de gran inteligencia —intervino Eumolpo—, pues condenaba a quienes creen en los sueños.

> El sueño, que juega con la mente
> turbada, no descubre los secretos
> designios de los dioses; sólo el hombre
> baraja sus acuerdos,
> cuando al sueño, rendido, no le sirve
> la labor muscular de contrapeso.
> Con escenas cercanas y remotas,
> mezcladas a ilusiones y deseos,
> pinta sus cuadros vivos,
> que siempre al despertar resultan muertos.
> El conquistador sueña
> que avasalla ciudades con su ejército;
> el abogado salva sus clientes
> y gana al fin sus pleitos;
> el avaro, tesoros mil encuentra,
> y la esposa liviana ve en sus sueños
> que solicitan sus favores todos
> cuantos sus galanes compran con dinero;
> el piloto se salva del naufragio;
> el cazador persigue y caza al ciervo;
> el perro ladra a la perdiz dormido,
> y cada cual, en sus sueños,
> o goza o sufre, que la noche al cabo
> redobla la alegría del sufrimiento.

Sin embargo, Licas, una vez hechas las acostumbradas abluciones, seguía preocupado por la coincidencia de sueños.

—¿Quién nos impide —le dijo a Trifena— revisar el navío, para no despreciar los anuncios de los dioses?

137

En aquel momento, entró el viajero que nos vio disfrazarnos la noche antes y que se llamaba Heso gritando con furia:

—¿Quiénes son esos miserables que anoche se afeitaban la cabeza a la luz de la luna? Me parece pésimo augurio, ¡por Hércules!, pues siempre he oído decir que a nadie le está permitido cortarse ni uñas ni cabellos cuando ha embarcado, a menos que el viento sople con furia en el mar.

CIV

Licas se irritó al oírle.

—¿Es posible que alguien se haya afeitado la cabeza en una noche tan hermosa? Que me traigan aquí a los culpables, que haré que su sangre purifique la embarcación.

—Fui yo —intervino Eumolpo—, quien ordenó que se les rasurase. He querido satisfacer a los dioses, pues viajo con ellos. Llevaban largos sus cabellos en castigo de sus crímenes y para que el navío no se convirtiera en cárcel, ordené al barbero que les afeitase, para que, además, los estigmas infamantes que estamparon en sus frentes no se ocultaran bajo la cabellera y todos puedan leer sus culpas en su cara. Entre otras cosas, me robaban el dinero para gastárselo en compañía de una prostituta que era la querida de ambos. Con ella les sorprendí una noche, perfumados y borrachos perdidos. Me temo mucho que acabarán por arruinarme.

A pesar de las explicaciones, Licas quiso purificar su embarcación condenándonos a cuarenta latigazos. La ejecución siguió a la sentencia. Dos marineros, enarbolando gruesas sogas, se lanzaron sobre nosotros, ansiando aplacar a sus dioses tutelares derramando nuestra abyecta sangre. Yo aguanté los golpes con espartana dignidad, pero Giton, al primero, lanzó tan penetrante grito de dolor que se conmovió Trifena, imaginando reconocer la voz del cautivo. Incluso los marineros suspendieron los azotes, desarmados por la belleza del muchacho y abogaron por él en sus miradas a Licas. Las esclavas de Trifena, que se habían acercado, exclamaron a grandes voces:

—¡Es Giton, Giton! ¡Suspended los azotes! ¡Señora, es Giton! No le abandonéis.

En cuanto Trifena oyó ese nombre, voló junto al niño, pues siempre se cree lo que se desea. Licas, que me reconoció enseguida, no tuvo necesidad de oírme gritar para acudir a mi lado y, sin detenerse en las manos ni en la cara, me examinó con atención más abajo de la cintura, palpó el sitio con las manos y se convenció de que era yo.

—Salve, Eumolpo —me dijo.

Lo mismo que la nodriza de Ulises reconoció al hijo del rey de Itaca por una cicatriz, al cabo de veinte años, Licas identificó a su fugitivo por un pequeño indicio. Trifena, deshecha en llanto, imaginó cierto nuestro suplicio y, tomando por auténticos los estigmas grabados en la frente, preguntaba desconsolada:

—¿En qué prisión os encerraron por vagabundos? ¿Quiénes os infligieron tan terrible castigo? En verdad que lo merecíais por ingratos, ya que desdeñabais nuestra protección.

CV

Furioso, la interrumpió Licas:

—¡Mujer infeliz! No creas que esos estigmas han sido marcados a fuego. ¡Ojalá lo fuesen! ¡Nos solazaríamos por completo! Estaban intentando burlarnos con una burda comedia y esas inscripciones postizas no son más que una nueva burla.

Trifena, contenta de no haber perdido por completo a su amado, se inclinaba por el perdón, pero Licas, que me tenía rencor a causa de mis relaciones con su esposa Doris y por la afrenta que le hicimos en los pórticos de Hércules, exclamó:

—Los dioses inmortales que gobiernan todas las cosas de los hombres, son quienes han traído a estos dos infames a mi barco.

También fueron ellos quienes nos anunciaron su presencia por medio del sueño y ahora no podemos perdonarles sin que me castiguen. No soy un salvaje, pero si les perdonase temería las iras de los dioses.

Estas razones impresionaron a Trifena, que cambió de parecer, declarando que no sólo no se oponía al castigo sino que lo aprobaba de corazón. Recordó que había recibido idénticos ultrajes a los de Licas y que la habíamos expuesto a la vergüenza pública con falsedades ofensivas para su honor. Licas, al ver que secundaban sus propósitos, dio órdenes para que nuestro castigo resultara aún más cruel. Pero Eumolpo, al oírlo, intentó calmarle.

CVI

—Estos infelices —dijo— que has decidido que perezcan para satisfacer tu venganza, imploran tu misericordia, ¡oh, Licas! Sabiendo que no te soy un extraño, me han elegido como abogado, rogándome que te reconcilie con tus queridos y antiguos amigos. No puedo creer que sólo por casualidad hayan venido a tu barco. Ni un solo pasajero sube a bordo sin averiguar, ante todo, el nombre de aquél en cuyas manos pone su existencia. Confórmate con esta explicación y apiádate lo bastante para dejar navegar en paz a hombres libres. El amo más cruel y endurecido olvida sus resentimientos cuando el esclavo fugitivo regresa arrepentido. ¿Qué más puedes pedir? ¿Qué otra cosa quieres? Ante vosotros, se encuentran suplicantes, dos jóvenes honrados y sencillos con los que hasta hace muy poco vivisteis en la más estrecha intimidad. Si os hubiesen robado dinero, de haberos traicionado, podría satisfacer vuestra venganza las señales de esclavitud que se ven en sus frentes y por las que quedan excluidos de la sociedad.

Licas exclamó, interrumpiéndole:

—No quieras embrollarnos y pongamos las cosas en claro. En primer lugar, si vinieron aquí de buen grado, ¿por qué se afeitaron la cabeza? El que oculta su rostro, pretende engañar y no satisfacer. Además, si querían que tú les devolvieses nuestro favor, ¿por qué se escondían? No pretendas aplacarnos diciendo que son honrados y sencillos. ¿Qué puede hacerse cuando ellos mismos se presentan ante el ofendido? ¿Dices que vivieron en nuestra intimidad? Pues mayor castigo merecen, porque el que injuria a un desconocido es un miserable, pero el que lo hace can un amigo es casi un asesino.

Eumolpo contestó, dándole la vuelta a sus argumentos:

—Comprendo que el mayor reproche que les haces es haberse afeitado la cabeza durante la noche de lo que deduces que la casualidad y no su deseo les ha traído a bordo. Os lo explicaré con tanta sencillez como ha sucedido. Ellos deseaban tonsurarse antes de embarcar, pero los vientos, al precipitar la partida, se lo impidieron y una vez aquí creyeron que podían librarse de ese fardo inútil, pues ignoraban el augurio que esto representa según la ley del mar, y llevaron a cabo su propósito.

—¿Por qué el afeitarse la cabeza iba a aplacar nuestra ira? ¿Es que una cabeza pelada es más digna de compasión? ¿Y además, por qué buscar la verdad a través de las palabras de un intérprete? ¿Es que tú no dices nada, bandido? ¿Quién te quemó las cejas? ¿A qué dios sacrificaste tu cabello? Contesta, embaucador.

CVII

El miedo a la tortura me había paralizado la lengua y no encontraba palabras para justificarme. Turbado y aturdido por mi fealdad, me parecía que con la cabeza tan calva como la rodilla y con las cejas lisas como la frente, no podía hacer ni decir cosa alguna. Pero cuando me pasaron una esponja por la cara, inundada de lágrimas, cuando la tinta diluida emborronó todas las marcas dibujadas en mi rostro y una máscara negra, cual un borrón, me cubrió las facciones, mi cólera se trocó en verdadero furor.

Eumolpo, mientras tanto, afirmaba cen toda energía que no iba a tolerar que se atormentara a hombres libres y apartaba con la voz y el ademán las amenazas de nuestros enemigos. Le secundaban su sirviente y uno o dos pasajeros, los cuales constituían una ayuda tan débil que más que para salvarnos, sólo nos servían de consuelo. Demasiado irritado para implorar misericordia, amenacé con mis uñas a Trifena, declamando en alta voz que si aquella meretriz, que merecía que la azotaran ante toda la tripulación, hacía el menor daño a mi amigo, emplearía contra ella todas mis fuerzas. Mi audacia aumentó la ira de Licas, que se enfureció de que olvidase mi propia defensa para tomar la de otro. Trifena, no menos indignada por mis ultrajes, se entregó a parecidos transportes de furor. Por fin, todo el pasaje se dividió en dos bandos. El barbero de Eumolpo se adelantó con su navaja de afeitar, después de repartirnos todos los objetos cortantes que encontró. Por su parte, los sirvientes de Trifena se arremangaron los brazos para manejar los puños. Las propias esclavas, al no tener armas, excitaban con sus gritos a los combatientes. Solo y sereno en su puesto, el piloto amenazaba en vano con abandonar el timón si no cesaba la reyerta que había provocado la liviandad. La lucha siguió con la misma saña que comenzara. Licas y los suyos se batían para vengarse; nosotros, por defender nuestras vidas. De un lado y de otro habían caído varios combatientes medio muertos de horror y un número aún mayor se retiraba, cubiertos de sangre y de heridas, pero no por eso disminuía el ardor de la pelea. De pronto, Giton, acercándose la navaja a los órganos genitales, amenazó con despojarse de sus atributos de virilidad. Trifena, haciéndole concebir esperanzas de reconciliación, se opuso. Yo también me llevé el arma al cuello, con tanto propósito de degollarme como Giton de hacerse eunuco. No obstante, él representaba mejor su papel, pues sabía que nada exponía, porque la navaja era aquella sin filo que habíamos probado la noche anterior en la posada. Ambos bandos continuaban frente a frente, y el combate se iba a reanudar con mayor encono, cuando el piloto obtuvo a duras penas que

Trifena hiciera de heraldo de paz, proponiéndonos una tregua. La mujer, enarbolando el ramo de olivo que arrancara al dios tutelar de la nave, se adelantó audaz hasta interponerse entre los adversarios y exclamó:

¿Qué furor es el que la paz en guerra
convierte? ¿Quién ha armado nuestras manos?
No una Helena liviana, ni tampoco
nueva Medea mata a su hijo amado,
sino que de vengar necios desdenes
de amor, locos tratamos.
¡Ay, que sólo una víctima perezca!
¡Matadme a mí, inhumanos,
y no aumentéis la furia de las olas
vuestra sangre en los mares derramando!

CVIII

Estos versos, declamados con voz hueca, que traslucía la emoción de Trifena, parecieron calmar algo la furia de los adversarios y Eumolpo, como jefe de uno de los dos bandos, aprovechó la ocasión, tras censurar duramente a Licas, para redactar los artículos de un tratado de paz, cuyas cláusulas principales eran:

«Trifena se aviene de buen grado a olvidar todo su resentimiento contra Giton, comprometiéndose a no dirigirle reproches, a no vengarse ni a perseguirle, así como a no exigir de él ni caricias, ni besos, ni otros favores más tiernos, so pena de pagarle cien denarios por cada contravención».

Asimismo: «Licas se compromete voluntariamente a no tomar venganza de Eumolpo, a no maltratarle ni ponerle mala cara, ni a perseguirle con fines lúbricos ni a buscarle por la noche en su lecho. Si no lo cumpliere, se compromete a pagarle doscientos denarios de oro por cada tentativa injuriosa de violación».

Una vez aceptado el tratado, depusimos las armas y para que no quedara resto alguno del odio en nuestras mentes, nos dimos el ósculo de paz, tras los juramentos de rigor, para ratificar el olvido del pasado. Calmados los ánimos, el campo de batalla se convirtió en triclinio y un alegre banquete acabó de conciliar los ánimos. Toda la nave resonaba con nuestras alegres canciones y como una repentina calma interrumpió nuestra marcha, algunos lanzaron ganchos al mar, para pescar lo mismo que con arpón; otros envolvían sus anzuelos de engaños y tiraban de su presa, que procuraba escapar. Algunas aves marinas, que se habían posado sobre las antenas del buque, se dejaban coger, al quedar pegadas en ellas sus patas. El aire se llenó de su pelaje, mientras sus plumas, más pesadas, caían al agua y se confundían con la espuma. Licas y yo nos habíamos reconciliado. Trifena, bromeando con Giton, le manchaba la cara con vino. De improviso, Eumolpo, borracho perdido, comenzó a burlarse de los borrachos y de los tiñosos. Una vez agotó sus bromas en prosa, le sopló la musa y nos recitó esta especie de elegía a la pérdida de los cabellos:

¿Dónde fueron tus cabellos, juguetes de las auras,
que sombreaban tu frente con áureo esplendor?
Cayeron cual las hojas del árbol en otoño,
y las desnudas ramas invierno cruel secó.
¡Falaz naturaleza! Los años más hermosos,
los años juveniles duran lo que una flor,
son los primeros que huyen, por ser los más dichosos,
los años del amor.
De Febo ayer rival, de las hermosas
a quienes conquistaste te burlabas;
pero hoy, cuando contemplan tu calvicie,
estallan en burlona carcajada.
¡Rosa que arranca el viento de su tallo
tiene vida precaria!

CIX

Iba a continuar recitando versos, cuando una de las sirvientas de Trifena apareció con Giton, completamente transformado. Se lo había llevado a un extremo del barco y, tras lavarle bien el rostro y de colocarle una peluca de su ama, le puso unas cejas postizas, con tanta habilidad, que semejaban naturales. Trifena, al recuperar a Giton con todos sus encantos, se conmovió y rompió a llorar, mientras le cubría de besos. Yo, muy satisfecho también de ver de nuevo a Giton con toda su belleza, comprendí entonces mi repugnante fealdad y procuré ocultar mi rostro tanto como me era posible. Ni el propio Licas quería dirigirme la palabra. Pero la misma sirvienta vino en mi ayuda y alivió mi pena. Me llevó aparte, me puso una cabellera no menos bonita que la de Giton y también me colocó unas cejas postizas. Mi semblante re-sultaba así más agradable que antes, pues la peluca era rubia. Eumolpo, por su parte, que fue el defensor de nuestras vidas en los momentos de peligro y quien lograra la reconciliación, quiso aumentar nuestra alegría y comenzó a burlarse de la fragilidad de las mujeres, de la ligereza con que se inflaman y de la rapidez con que cambian de amante, afirmando que no hay mujer, por púdica que sea, a la que una nueva pasión no empuje a los mayores excesos.

—No tengo necesidad para probarlo —añadió— de recurrir a las antiguas tragedias, ni de citar nombres famosos. Voy a contaros una historia contemporánea.

Nos volvimos todos hacia él, que dio principio a su relato:

CX

—Había en Éfeso una matrona, con tal reputación de casta y honrada, que todas las mujeres de la vecindad iban a verla como si se tratase de una maravilla. Cuando perdió a su esposo, esa matrona no se limitó a las usuales manifestaciones de dolor, como seguir el cortejo fúnebre con los cabellos en desorden o golpearse el desnudo pecho ante los asistentes. Quiso acompañar a su esposo hasta la última morada, aguardarle en la cueva en que se le depositó, según la costumbre griega, y llorar noche y día sobre su cadáver. Tan grande era su pena, que ni amigos ni parientes lograron disuadirla de matarse de hambre en el mismo lugar en que reposaban los restos de su amado esposo. Incluso los magistrados, que a su vez intentaron apartarla de allí, debieron marcharse sin lograr convencerla. Todos lloraban por muerta a una mujer que ofrecía tan raro ejemplo de fidelidad conyugal y que llevaba ya cinco días sin probar alimento alguno. Una fiel esclava la acompañaba en su retiro, uniendo sus lágrimas a las de su señora y cuidando la lámpara que alumbraba el féretro, para evitar que se apagara la luz. En la ciudad no se hablaba más que de tan sublime abnegación y la citaban como raro ejemplo de castidad y de amor conyugal. Por aquellos días, el gobernador hizo crucificar a varios malhechores, en un lugar próximo a la cueva donde lloraba la viuda. A la noche siguiente, el soldado que custodiaba los cuerpos de las víctimas, para que no les enterrasen sus parientes, vio brillar una luz entre las tumbas y oyó unos lamentos que despertaron su curiosidad. Para satisfacerla, descendió a la cueva y quedó extasiado al ver a aquella hermosísima mujer, pero también inmóvil de terror, temiendo encontrarse ante una aparición sobrenatural. Sin embargo, se dio enseguida cuenta de la realidad, al ver el cadáver tendido sobre la lona, el hermoso rostro de la mujer bañado en lágrimas y su cuerpo y sus uñas ensangrentadas. Comprendió entonces que se trataba de una viuda que no lograba consolarse de la pérdida de su marido y bajó hasta la cueva su pobre cena de soldado. Luego, intentó calmar la desesperación de la viuda, puesto que la muerte es el término natural de cuanto existe y la tumba el último lecho de los nacidos, agitando cuantos lugares comunes existen con el deseo de aliviar el dolor de su alma. Sin embargo, los consuelos que le ofrecía aquel desconocido, irritaron aún más a la viuda, que, redoblando su desesperación, se clavaba las uñas en el mórbido pecho, se mesaba los cabellos que iba depositando sobre el cadáver y continuó con sus sollozos amargos. No se desanimó el centinela y reiteró su ofrecimiento de compartir con ellas su cena. Al fin, la esclava, atraída por el olor del vino, extendió la mano hacia los alimentos y en cuanto se hubo repuesto un poco de su debilidad, intentó a su vez vencer los escrúpulos de la señora, apoyando los argumentos del centinela:

—¿De qué te servirá —le dijo— dejarte morir de hambre, sepultarte en vida, si no puedes devolvérsela a tu marido? ¿Por qué te empeñas en entregar un alma que el Hado aún no reclama? Créeme, vuelve al mundo, arrepiéntete de ese error, tan común a nuestro sexo y, mientras puedas, goza de la existencia. Este cadáver te demuestra cuál es el final de nuestros días.

Nadie cierra por completo los oídos a quien le da a elegir entre la vida y la muerte. Por tanto la afligida viuda agotada por tan larga abstinencia se dejó vencer y comió y bebió con idéntica avidez que su esclava, que fue la primera en rendirse.

CXI

Sabemos que un apetito satisfecho suele despertar nuevos y humanos apetitos. El soldado, animado por el éxito de la primera tentativa, empleó toda su elocuencia para vencer la virtud de la matrona y advirtió muy pronto que ésta no era ni deforme de cuerpo ni corta de inteligencia. La sirvienta, seducida por el centinela, se puso de su parte y le repetía a su ama:

¿Por qué el amor en resistir te empeñas?
A galán tan rendido, ¿a qué desdeñas?

En fin, la desconsolada viuda no defendió su cuerpo mejor de lo que había defendido su vida y el soldado obtuvo una doble victoria. Gozaron ambos no sólo aquella noche, que fue la de sus nupcias, sino las dos siguientes, teniendo, sin embargo, buen cuidado de cerrar las puertas de la cueva para que no les sorprendiese en sus expansiones amorosas ningún pariente o amigo del muerto. El centinela, satisfecho de disponer de una mujer tan hermosa, le compraba a su amante lo mejor que le permitían sus escasos medios y apenas llegaba la noche acudía con premura a obsequiarla. Mientras, los parientes de uno de los malhechores crucificados robaron el cuerpo para darle sepultura, al comprobar que no estaba vigilado. Cuando por la mañana, tras una noche de placer, el centinela se encontró con una cruz vacía, se afligió mucho. Asustado por el castigo que le esperaba, bajó a ver a su amante, para referirle su desventura.

—¡No esperaré la sentencia del magistrado! —exclamó—. Este acero castigará mi negligencia y me salvará del tormento. Te pido solamente que, cuando ya no exista, me concedas un puesto en esta tumba para que reposemos juntos tu amante y tu esposo.

—No permitan los dioses —replicó la viuda, tan casta como compasiva—, que tenga que llorar casi al mismo tiempo la pérdida de dos personas queridas. Prefiero colgar al muerto para que se salve el vivo.

Tras estas hermosas palabras, exigió que se sacara del féretro el cadáver de su marido y lo colocasen en la cruz vacía. El centinela se apresuró a seguir tan prudente consejo y al día siguiente las gentes de la ciudad, que no podían concebir que un cadáver saliera de la tumba para colgarse de una cruz, atribuyeron a los dioses este hecho.

CXII

Este relato, que divirtió mucho a los marineros, hizo ruborizar a Trifena, que para ocultarlo, se inclinó a besar el cuello de Giton. Sin embargo, no agradó a Licas, que meneó la cabeza con enfado.

—Si el gobernador de Éfeso hubiese querido hacer justicia, debió haber restituido a su tumba el cuerpo del difunto y colgado en la cruz a la viuda.

Con toda seguridad, recordaba entonces mis amores con Doris, nuestra huida y el robo a Isis en el barco encallado. Sin embargo, las cláusulas del tratado le impedían que me recriminase. Además, la alegría que dominaba a todos los espíritus le obligaba a contener su cólera. Mientras, Trifena, siempre acostada con Giton, le cubría la cara de besos y le arreglaba en la frente los rizos de la cabellera postiza. Yo, molesto por estas caricias, estaba tan furioso que no podía comer ni beber nada. Miraba a ambos de un modo terrible.

Los besos y las caricias de aquella impúdica mujer a Giton me hacían el efecto de otras tantas puñaladas. Al fin, ya no sabía con cuál de los dos estaba enfadado, si contra Giton que me robaba la querida, o contra Trifena que me robaba el querido. Me resultaba un espectáculo mucho más odioso que mi pasado cautiverio. Para colmo, Trifena evitaba hablarme, simulando no conocer ni al amigo ni al amante que tan caro le había sido. Giton, por su parte, quizá temiendo abrir aún más la herida de amor propio de Trifena, ni siquiera se dignó brindar por mí, como hacía en todos los festines a los que acudíamos, y me dirigía la palabra como si no fuera más que uno más entre los pasajeros. Mordido por el dolor, comencé a verter amargas lágrimas y creí que iba a ahogarme al intentar contener los sollozos. No obstante, incluso en aquellos momentos debía de estar muy hermoso con mi cabellera rubia, porque Licas, que se había encendido de nuevo de pasión por mí, me dirigía ardientes miradas y procuraba hacer conmigo lo que Trifena con Giton. Al hablarme, no lo hacía en tono altivo sino de apasionado amante. Ya en mi camarote, Licas me suplicó que accediera a sus deseos, pero fue en vano. Al ver que le rechazaba tan obstinadamente, su amor se trocó en coraje y quiso conseguir por la fuerza lo que no había querido darle. En aquel momento, sin embargo, Trifena entró inesperadamente y pudo ser testigo de su brutalidad. Licas, al verse descubierto, se turbó y, arreglándose la túnica, se fue a toda prisa. Este incidente reavivó y encendió los deseos lúbricos de Trifena, que quiso saber:

—¿Qué pretendía Licas con sus brutales ataques?

Le conté lo sucedido y, enardecida por mi relato, recordó nuestra antigua intimidad y quiso excitarme para volver a las escenas voluptuosas. Sin embargo, yo, fatigado por los últimos excesos, rechacé sus caricias. Entonces, Trifena, presa de un verdadero delirio amoroso, me abrazó con frenesí, arrancándome unos involuntarios gritos de dolor. Acudió una sirvienta y, creyendo sin duda que yo trataba de arrancarle los favores que en realidad le rehusaba, se lanzó sobre nosotros para separarnos. Trifena, furiosa al verse rechazada sin conseguir excitarme ni satisfacer sus deseos me llenó de injurias y se fue, amenazándome con írselo a contar a Licas para excitarle aún más contra mí y doblegarme con el peso de la doble venganza. Recordaréis sin duda, que la sirvienta de Trifena concibió una gran pasión por mí en la época de mis relaciones con su ama. Entonces, afligida al haberme sorprendido en tal situación, dejaba escapar hondos suspiros; le rogué que me dijera la causa y, tras alguna resistencia, me expresó su dolor en los siguientse términos:

—Si conservas algún atisbo de honradez, no debes hacer caso a Trifena. Si eres hombre, no busques las caricias de una ramera.

Todo esto me inquietaba bastante, pero no tanto como que Eumolpo, al enterarse, tuviera la desdichada idea de vengarme, componiendo una sátira contra Trifena, pues su exceso de celo me habría cubierto de tal ridículo que sólo con pensarlo temblaba. Pensaba en los medios de ocultárselo todo, cuando le vi entrar. Estaba ya al corriente de todo, pues la propia Trifena se lo contó a Giton, con el propósito de indemnizarse con el muchacho de mi repudio. Esto excitaba aún más la cólera del anciano, ya que todas esas violencias quebrantaban el tratado de paz que se había firmado hacía poco. El oficioso Eumolpo, dándose cuenta de mi pensar, quiso compartirlo y me ordenó que le explicara cómo había ocurrido. Al ver que ya lo sabía, le confesé la verdad con todos los detalles del brutal ataque de Licas y del lascivo ardor de Trifena. Eumolpo juró vengarnos, asegurando que los dioses no podían dejar impunes tales crímenes.

CXIII

Mientras el poeta profería tales imprecaciones, el mar se embraveció, las nubes se cerraron y las tinieblas ocultaban la claridad del día. Los marineros corrían a la maniobra y arriaron las velas. Pero el furioso viento alzaba olas en todas direcciones y el piloto no sabía qué rumbo tomar. Tan pronto nos veíamos empujados hacia Sicilia, como el Aquilón,[43] que reina en las costas itálicas, arrojaba la nave de un lado a otro, como un débil leño. Para colmo, la oscuridad era tan densa que el piloto apenas conseguía ver la proa del barco.

Cuando la tempestad se presentaba más violenta, Licas, aterrado, exclamó, tendiéndome los brazos suplicantes:

—Eumolpo, sé misericordioso y socórrenos en tan duro trance. Calma a la divinidad tutelar de este buque devolviéndole el velo sagrado y el sistro que te llevaste. Compadécete de nosotros. Tu alma nunca fue sorda a la piedad.

Gritaba asustado, cuando una potente ráfaga de viento le arrojó al mar. Le vimos reaparecer por un instante, para que las olas jugasen con él y luego las aguas le engulleron con avidez. Varios esclavos fieles tomaron a Trifena, embarcándola en la chalupa con casi todo su equipaje y sus sirvientas, para salvarla de una muerte segura. Yo, acercándome a Giton, exclamé llorando:

—Nuestro amor merecía que los dioses nos hicieran compartir la misma suerte, pero la fortuna, celosa sin duda, quiere negar-

---

43. El Aquilón era el viento del Norte.

nos ese consuelo. Las olas van a tragarse la nave. Muy pronto quebrarán nuestros dulces placeres. Giton, si verdaderamente has amado alguna vez a Eumolpo, cúbreme de besos, pues aún estamos a tiempo de robarle este último goce a la muerte que se acerca.

Apenas lo hube dicho, Giton, arrojando su túnica, se cubrió con la mía y aproximó al mío su encantador semblante. Luego, para que las olas no pudieran separarnos, nos atamos con el mismo cinturón.

—Si no nos queda otra esperanza —dijo el muchacho— por lo menos estaremos seguros de que el mar deberá arrastrarnos juntos. Quizás apenándose de nuestra suerte nos arroje a la misma playa y puede que algún viajero, por simple humanidad, cubra nuestros restos con la misma piedra o que, por lo menos, las olas, en su furor, nos entierren bajo el mismo montón de arena.

Dejé que Giton apretase los últimos nudos. Creía encontrarme ya sobre el lecho mortuorio y esperaba la muerte sin temor.

La tempestad ejecutaba las órdenes del destino, dispersando los despojos de la nave. A ésta le faltaban ya los mástiles, el timón, el cable y los palos. Todo había desaparecido y, convertida en barcaza sin remos, rodaba de un lado a otro empujada por las olas. Varios pescadores acudían en sus lanchas, animados por la esperanza del botín, pero al ver sobre cubierta a varios pasajeros decididos a defenderse, cambiaron sus propósitos de pillaje por ofrecimientos de ayuda.

CXIV

De súbito, llamó nuestra atención un extraordinario murmullo que se oía bajo la cámara del piloto, muy parecido a los aullidos de una fiera que intenta escapar de la jaula. Acudimos guiados por los gritos y encontramos a Eumolpo sentado declamando en voz alta los versos que iba escribiendo en un pergamino. Nos asombramos todos al ver que un hombre amenazado de muerte próxima se ocupara con tanta tranquilidad en componer un poema. Pese a sus protestas le sacamos de allí, rogándole que se dejara de tales locuras en aquellos momentos. Él, furioso porque le habíamos interrumpido en su labor, decía:

—Dejadme acabar mi pensamiento. Estoy puliendo el verso final.

Sujeté a aquel loco y, llamando a Giton en mi ayuda, nos llevamos al poeta que rugía colérico. Una vez en la playa, tras la penosa travesía, entramos en la cabaña de un pescador, comimos ligeramente, a base de víveres averiados y pasamos la más triste de las noches. Al día siguiente, mientras discutíamos acerca de a qué comarca nos dirigíamos, vi flotar un cuerpo humano sobre las olas, que lo iban empujando sobre la orilla. Me entristeció el espectáculo, haciéndome pensar en lo imprudente de que confiemos nuestras vidas al Océano.

«Acaso —me dije—, una esposa enamorada le espera tranquila en alguna región apartada. Quizá dejó unos hijos a quienes besó al partir y que ignoraban que eran los últimos. Así concluyen con frecuencia los designios de los mortales. Así acaban muchas veces los más ambiciosos sueños. ¡Desgraciado! Incluso se diría que éste nada, como si aún viviese.»

Hasta aquel instante, imaginaba interesarme por la suerte de un desconocido, pero las olas, al arrojar el cadáver sobre la playa, me descubrieron sus facciones no desfiguradas por la muerte. Eran las de Licas. Licas que, tan terrible e implacable hacía poco, se encontraba entonces a mis pies. No pude contener las lágrimas y, golpeándome el pecho con sincera pena, exclamé:

—¿Dónde está ahora tu ira? ¿Dónde ha quedado tu poder? Aquí te encuentras, expuesto a la voracidad de los tiburones y de las fieras, tú que tan recientemente abusabas de tu autoridad. De tu gran buque no conseguiste ni una tabla para salvarte. ¡Aprended, oh, insensatos mortales, a envaneceros con vuestros ambiciosos sueños! ¡Fiad en el futuro y pensad que gozaréis de vuestras riquezas durante miles de años, de esas riquezas que obtuvisteis con el fraude! ¡También Licas disponía hace poco de sus rentas y esperaba el día en que iba a regresar a su patria! ¡Oh, dioses! ¡Cuán lejos de su destino se encuentra! Pero no es únicamente el mar quien se burla de la confianza de los mortales. Unos, combatiendo, se creen protegidos por armas que fallan. Otros hacen votos a sus lares y penates[44] y mueren aplastados por casas que se derrumban. Éstos, glotones, mueren de indigestión, aquéllos, frugales, son víctimas de su abstinencia. Examinad los riesgos que presenta la vida y encontraréis, en cualquier parte, un naufragio. Objetaréis, sin embargo, que quien cae al mar se ve privado de sepultura. ¿Importa algo que el cuerpo perecedero se consuma por el agua, el fuego o el tiempo? El resultado, es siempre el mismo. Ese cadáver, que pueden devorar las fieras, ¿ganaría algo si le consumieran las llamas? Sin embargo, se considera la hoguera como el más cruel castigo que a un esclavo pueda aplicarse. ¿Qué locura es ésa de arrostrarlo todo para conseguir que nuestros restos no queden insepultos, cuando los Hados, pese a todo, disponen según su capricho y voluntad?

Tras esas reflexiones rendimos los últimos honores a los restos de Licas, al que quemamos en una pira encendida por sus adversarios, mientras Eumolpo iba redactando el correspondiente epitafio, para lo que alzaba los ojos al cielo, como en busca de inspiración.

CXV

Cumplido el piadoso deber para con Licas, proseguimos nuestro camino y, tras subir penosamente una montaña, vimos una

---

44. Los penates eran en un principio los dioses protectores de la familia, que se colocaban en una hornacina en cada habitación. Luego, el estado los incorporó, convirtiéndolos en los protectores de los asuntos exteriores del país.

ciudad que se alzaba sobre una colina. Nos encaminamos a ella, sin saber cuál era y un campesino nos indicó que se trataba de Crotona, antiquísima población que en un tiempo fue la primera de Italia. Le preguntamos qué clase de hombres la habitaban y cuál era su industria, después de las guerras que habían arruinado su antiguo poderío.

—¡Oh, extranjeros —replicó el labriego— si sois negociantes, cambiad de ruta o buscad otro medio de ganaros la vida! Pero si pertenecéis a las clases distinguidas y no os asusta la obligación de mentir de la mañana a la noche, encontraréis la fortuna en esa ciudad. Los crotoniatas no hacen caso de las bellas letras; no aprecian la elocuencia y ni se estiman y recompensan la frugalidad y las buenas costumbres. Los que encontraréis en Crotona se dividen en dos clases: testadores y quienes buscan ser herederos. En esa población no se atiende a los libertos y no se admite en los banquetes a quienes tienen herederos naturales, de modo que, privados de los atractivos de la vida, quedan relegados a las últimas capas de la sociedad. En cambio, quienes nunca se han casado y carecen de parientes próximos, llegan a los primeros puestos. A juicio de los crotoniatas, sólo los ricos y sin herederos poseen virtudes y talento. En fin, esta ciudad ofrece el aspecto de una campiña asolada por la peste. En ella sólo veréis cadáveres a medio devorar y cuervos que de ellos viven.

CXVII

Eumolpo, que de todos era el más prudente, escuchó las explicaciones y confesó que no le desagradaban. Al principio, creí que se trataba de una broma y que el anciano hablaba así por simple licencia poética, pero él nos lo aclaró:

—¡Pluguiera que pudiese exhibirme con mayor ostentación, luciendo vestidos más suntuosos, para que se pudiera dar crédito a la farsa que acabo de urdir! No necesitaría durante mucho tiempo esta averiada túnica y, ¡por los dioses!, que labraría pronto vuestra fortuna.

Le prometí que, siempre que dividiésemos el beneficio, le daría la túnica de Isis y cuanto habíamos robado en la finca de Licurgo y que aún conservaba.

—La madre de los dioses —añadí— no dejará de ofrecernos el dinero que de momento nos hace falta.

—¿Qué podemos tardar en planear la comedia? —replicó Eumolpo—. Si os parece bien, hacedme a mí señor.

Ninguno opusimos reparos a una empresa en la que nada podíamos perder. Así que para mantener el más riguroso secreto, prestamos el juramento formulado por Eumolpo, de sufrir el fuego, la esclavitud, los azotes e incluso la propia muerte, es decir, cuanto ordenase sin descubrir la farsa. Juramos ser suyos en cuerpo y alma, lo mismo que gladiadores. Tras esta formalidad, nos vestimos como esclavos y, dentro de esa condición, saludamos como amo y señor a Eumolpo. Convinimos en decir que éste había perdido a su único hijo, muchacho de gran talento y grandes posibilidades, y que, apenado por esa muerte, el desgraciado padre se desterró voluntariamente de su villa natal por no seguir viendo de continuo la tumba, los amigos y los servidores de su hijo, lo que renovaba a diario sus lágrimas. Diríamos que, para colmo de males, acababa de sufrir un naufragio en el que perdió dos millones de sestercios, pero que esto le apenaba menos que la ausencia de sus servidores, cuya muerte no le permitía presentarse en Crotona con el brillo que a su clase correspondía, que aún le quedaban en África treinta millones de sestercios, en bienes raíces y dinero colocado a interés, y que tenía tal número de esclavos que le hubiera permitido constituir con ellos un ejército para asaltar Cartago. Convenido así el plan, aconsejamos a Eumolpo que tosiera mucho, como si estuviera enfermo del pecho, que sólo hablase de oro y de plata, que se lamentase de la esterilidad de las tierras y de lo poco que rendían, que cada día se encerrase un rato para hacer sus cuentas y variar cláusulas del testamento y que, al llamarnos, dijera varios nombres, como si no pudiera recordar con precisión quiénes tenía a su lado y quiénes estaban ausentes. Una vez todo acordado, rogamos a los dioses nos concedieran el éxito en breve y seguimos nuestro camino. Giton se cansaba con su peso muy superior a sus fuerzas y al recargar a Corax, éste comenzó a murmurar, deteniéndose con frecuencia a descansar y desatándose en improperios contra nosotros, que le obligábamos a andar demasiado de prisa. Nos amenazaba con echarlo todo a rodar o huir con la carga.

—¿Me habéis tomado —decía— por un jumento o por un barco? Me uní a vosotros para hacer el servicio de un hombre y no de una mula. Soy tan libre como cualquiera, aunque mi padre no me haya dejado fortuna.

No contento con maldecirnos, al andar levantaba de vez en cuando la pierna y producía un indecente estampido que hería a la vez nuestro olfato y nuestro oído. A Giton le hacía mucha gracia e imitaba con la boca sus detonaciones.

CXVII

Mientras tanto, Eumolpo, obsesionado por la poesía, iba diciendo:

—Muchos, amigos míos, han sido seducidos por la poesía. Apenas han conseguido medir un verso, ahogando un sentimiento auténtico en un océano de palabras huecas, se consideran ya en la cumbre de Helicón.[45] Así, numerosos abogados, hartos de su trabajo, buscan un asilo en el templo de las musas, considerándolo un puerto más abrigado y seguro, imaginando que es más fácil componer un poema que redactar un escrito lleno de sentencias.

---

45. Monte consagrado a las Musas. Se consideraba que era de allí de donde venía la inspiración poética.

Pero a los espíritus cultivados no se les puede seducir con tanta facilidad. Saben que el poeta no puede concebir ni dar luz a una gran producción, si antes no se ha fecundado con profundos estudios. Es preciso evitar las expresiones bajas y triviales y emplear las palabras más nobles y ajenas al lenguaje de la plebe. Ya lo dijo Homero: «¡Lejos de mí lo que profana el vulgo!» Es necesario, además, que los pensamientos brillantes no sean en el poema los entremeses, sino el plato fuerte. Es decir, que no resulten meros adornos postizos, sino parte del cuerpo de la obra, Homero y los líricos helenos, Virgilio, gloria de la poesía romana y Horacio, de tan cuidado lenguaje, son una excelente prueba de lo que digo. Los otros no han encontrado el camino del Parnaso o, si lo hallaron, no supieron seguirlo. Quien, por ejemplo, quiso narrarnos la guerra civil, fracasó por no estar preparado con serios estudios.[46] Ya que no es cuestión de poner en verso los acontecimientos, cosa que pertenece a la historia, sino demostrar cuál fue la intervención de los dioses. Es preciso que el genio, volando libre, recorra todo el torrente de las ficciones más fabulosas. En una palabra: que su inspiración se parezca más a los oráculos, a los delirios de un profeta, que a un historiador serio que apoya su relato en documentos fehacientes. Debe ser el verdadero vate. Con ese criterio, he escrito un poema que voy a leeros, para que me digáis vuestra opinión. Aún no lo he concluido y debo corregir mucho. Vosotros juzgaréis.

---

46. Se refiere a Tácito.

CXVIII

LA GUERRA CIVIL

POEMA

El orbe entero habían domeñado,
invictos los romanos, mas no habían
su codicia saciado,
pues botín y no gloria perseguían.
Así se ve en la tienda del soldado
junto a la espada el cegador diamante;
así, por la molicie al fin vencido,
del placer vil esclavo vergonzante,
perfumes de la Arabia ha conseguido
por precio de conquista tan brillante.
En la guerra y la paz siempre se excede,
y vivir ya no puede
sin ver correr la sangre, derramada
en el circo romano
por las garras de fieras o la espada,
del pueblo a los aplausos inhumano.
El crimen mina a Roma, y su caída
¡ay! no será sentida.
Venus reina e impera de tal modo,
que al placer ya se supedita todo.
El hombre fuerte y varonil otrora,
se adorna cual mujer coqueta ahora;
y al buscar al soldado
se encuentra al gladiador afeminado.
El rico en sus festines se corona
y de esclavos rodea su persona;
en un día empobrece al mundo todo,
para sobresalir de cualquier modo

de todos sus paisanos.
¡He ahí el mayor placer de los romanos!
Ya la Fócida agota de esta suerte
sus aves más preciadas, que la muerte
arrebata a sus selvas, donde sólo
ya el soplo se oye, rítmico, de Eolo.
¡Corrupción por doquier! En los comicios
virtudes trueca el oro por los vicios;
y al oro del tirano, ¡oh, justicia!
se venden el Senado y la Justicia.
Catón, triste y confuso, lucha en vano
por devolver el esplendor romano;
y viendo ya imposible su victoria,
huye, seguido sólo por su gloria;
y viendo desterradas, con dolor,
la libertad, las leyes y el honor
de Roma, vencedora, y hoy vencida,
previendo acaso su cruel caída.
Ya no hay nada seguro; la fortuna
misma, siempre voluble cual ninguna,
hoy empobrece y veja y arruina
al que ayer más ufano y orgulloso,
con sus riquezas, era un poderoso.
¡Roma, Roma! La guerra se avecina.
La guerra es tu elemento; pon empeño
en despertar de tu cobarde sueño,
y de Marte la espada vencedora
vuelva a hacerte tan grande como otrora.

CXIX

Pero ya tus triunviros expiraron.
En Éufrates, Craso;

Pompeyo en el Egipto, junto al Nilo,
y César el invicto en el Senado.
Dispersas sus cenizas veneradas
que no cabían en el mismo osario,
tal fue el premio supremo que la gloria
a esos hombres tenía reservado.
La guerra se avecina; por doquiera
resuenan tristes cantos;
Partenopea y Cocita envían ecos
sombríos, y fatídicos presagios.
Jamás frutos ni flores allí vense,
ni los hermosos y canoros pájaros
alegran esas selvas de cipreses
que entristecen el ánimo.
¡Fortuna, aunque tu norma es la inconstancia,
presta a Roma tu amparo,
y sálvala de su oro y su molicie,
para que libre al fin y sin cuidados,
recobre por la guerra su prestigio,
cubriéndose de gloria los romanos!
¡Oh, diosa! salva a Roma.
Tu cólera ha dormido largos años,
y por ellos quizá, por no vengarte,
han caído en la molicie los romanos.
Enciende al fin la guerra en el Imperio
y de este modo, diosa, al castigarlos,
por la muerte de César y los triunviros,
los salvarás acaso.

CXX

Así dijo Plutón, rey del Averno,
a la Fortuna, que inconstante y varia

sonrió al contestar: —¡Oh, soberano
del imperio sombrío! Mi mirada
tiendo hacia el porvenir por complacerte
y a contar voy lo que mi vista alcanza
a leer en el libro del destino
para satisfacer así tus ansias
Roma orgullosa despreció mis dones
y mi amor trocó en odio. Mi venganza
será completa, pues estoy armando
a Roma contra Roma, y las espadas
fratricidas se afilan en la sombra,
para entrar en batalla.
Ya los veo bañándose en su sangre;
veo de luto que se cubre Hispania;
ya el fragor del combate estoy oyendo,
y veo ya el incendio de Tesalia;
y en Libia y en Egipto oigo gemidos;
¡temiendo están las apolíneas armas!
Abre Plutón, las puertas del infierno,
para que puedan entrar en él las nuevas almas;
y tú, Carón, para pasar tus muertos
una flota precisas, no una barca.
Pues te he de mandar tantos condenados
que tendrás que decirme al cabo: —¡Basta!

CXXI

A estas palabras se encapota el cielo;
el relámpago brilla, cae el rayo
en la roca vecina y la reduce
a polvo en breve espacio.
La cólera de Jove, hace que escape
al infierno Plutón amedrentado.

El Averno estremécese; los dioses
nuestras discordias vengadoras arman;
se eclipsa el sol; con círculo sangriento,
aparece la Luna mustia y pálida;
tiemblan los montes y ábrense sus cumbres
vomitando feroces fuego y lava;
suena el clarín, en lo alto de los cielos,
que anuncia a los humanos las batallas;
y se encrespan las olas de los mares;
y llueve sangre; y de las tumbas se alzan
sombras que gimen; y un cometa anuncia
en el cielo la guerra y la matanza.
Ya César enarbola el estandarte
de la guerra civil. Bravo a las Galias
habiendo domeñado, cruza el Alpe
por la primera vez, lleno de audacia.
Hércules lo ha guiado, de la nieve
a través, que en las montañas
alpinas es perpetua. Allí el sol luce
sin fuerza y no deshace las heladas.
Que seculares son esas cimas,
do nadie osó poner jamás la planta.
A los ojos de César aparece
Roma como una imperceptible mancha,
y lleno de ardimiento y esforzado,
la contempla, suspira, y así exclama:
—¡Omnipotente Jove! ¡Buen Saturno!
¡Que yo vea mis sienes coronadas
por el lauro y el triunfo! Arma mi diestra
¡oh Marte! Y con mis brazos
me haré dueño del Orbe. Ya en Hispania
es mi nombre famoso, y a los galos
lejos del Capitolio con mi esfuerzo
he vencido también, leyes dictando

a la orgullosa Britania, como he vencido
también a los germanos.
¡Y tú, Roma, lo olvidas, me destierras
y así me das el pago
por mis sesenta triunfos, que de gloria
nos cubrieron a mí y a mis soldados!
¿Y quiénes me han proscrito? Advenedizos,
sin virtud, sin pudor, sin fe, sin alma.
Roma, madre para ellos, extranjeros,
es para mí madrastra.
¡Pues bien! ¡No lo consiento!
¡Que decida el valor! ¡Que hable la espada!
Y vosotros, mis bravos compañeros,
como quiera que una misma es vuestra causa
conmigo lucharéis. ¡Pues mis victorias
con tal ingratitud aquí me pagan
y no he vencido solo, que vosotros
tenéis parte en mi gloria tan odiada
por esos miserables que me envidian,
pero que hurtan el cuerpo a la batalla,
venid conmigo! Con vosotros César
invencible será. —Y a estas palabras
siguió feliz presagio; pues tres veces
sobre su frente se detiene un águila;
y tres veces del bosque los murmullos
se escuchan, y tres veces unas llamas
se encienden repentinas, y su disco
Febo en el cielo agranda.

CXXII

Más valiente que todos, les conmueve
César, y los inflama su ardimiento,

contagiando al soldado
que le sigue al combate sonriendo.
Continúan la marcha y de repente
una roca estremécese y al peso
del valeroso ejército, vacila
y luego se derrumba con estrépito.
Amontonados caen los batallones
sobre la blanca nieve y sobre el cielo,
dificultando el paso de las tropas
resbaladizos témpanos.
Muge Eolo colérico y de pronto
llueve y graniza; formidables truenos
retumban en las cumbres y el relámpago
y el rayo con sus fuegos
alumbran en la noche tempestuosa
a medias los senderos.
Se hunde la roca o derrumbarse amaga;
y la tierra y las aguas y los cielos
conspiran contra aquellos batallones
que el fin del mundo cuentan ya por cierto.
César, tranquilo, apóyase en su lanza
y salva los escollos con denuedo
(cual Hércules del Cáucaso
descendió en otro tiempo
venciendo a los Gigantes) con asombro
de Júpiter que rayos lanza y truenos.
La Fama, mientras César atraviesa
los Alpes con su ejército,
vuela a Roma, y sus trompas resonando:
«—Ya Romanos, le dice, a César veo,
tinto en sangre germana, que se acerca,
invicto, vengador, gallardo y fiero».
Roma, al oírlo, en llanto se deshace,
presintiendo el pillaje y el incendio.

El desorden es grande
porque es muy grande el miedo
y buscan los romanos en la fuga
sacar ahorros sus bienes y sus cuerpos.
Confusión por doquier; unos destiérranse;
otros buscan por mar seguro puerto;
la esposa, acariciando a su marido,
pide por él al cielo;
llora el niño también amedrentado;
clama miedoso el pueblo;
muchos, toman sus lares y penates,
y huyen de la mansión de los abuelos;
contra César invocan venganza
terrible de los cielos;
y cual, si ruge airada una tormenta
que conmueve el navío, el marinero,
se entrega desolado a la ventura
e iza la vela al viento
por ver si así el azar puede salvarlo
lanzándolo contra seguro puerto;
así desesperados, huyen todos
a la ventura por salvar sus cuerpos.
¡El Gran Cónsul también! Terror de Hidaspes,
el que hizo estremecer en otro tiempo
el Ponto, a Egipto, al Bósforo,
a Roma tantas gentes sometiendo;
huye también! ¡Y al vencedor entrega
con su fuga fatal Senado y pueblo!...

CXXIII

El gran Pompeyo huyó... ¡Tan triste ejemplo
hace huir a los dioses de su templo!

Detestando de Marte los horrores
abandonan a Roma a sus furores;
la dulce Paz, de olivo coronada,
de Roma desterrada,
vuela al Olimpo con sus tres amigas;
con la Fe, la Justicia y la Concordia.
En cambio, abre sus fauces el Erebo
y llueven los azotes sobre Roma.
La Guerra, la Traición, la Muerte pálida
el Terror, y la Rabia y la Derrota,
y el Furor, cuyo escudo centelleante
enciende con su vista más la cólera,
lleva una tea, que el voraz incendio
propagase por la tierra y la desola.
Divídese el Olimpo, y mientras Apolo,
Mercurio, Febo y Hércules arrostran
de Júpiter las iras, por Pompeyo
peleando animosos, en su contra
Palas, Venus y Marte, con Minerva
del noble César el partido toman.
Las trompas suenan, de entusiasmo bélico
relinchan los caballos; la Discordia
ruge furiosa, y a su soplo infecto,
el cielo palidece y se encapota;
una víbora ostenta en su cabeza;
veneno y fuego de sus fauces brota;
con su diestra, la encendida tea
fatídica enarbola.
Contempla los estados que ha infectado
con su aliento letal, sonríe y goza,
y —¡A las armas! —exclama—; ¡acudid todos;
alzad el arma ahora!
Quien se oculte es vencido. Las ciudades
por el hierro o la antorcha

arrasadas serán de cualquier modo,
por haber dispuesto la discordia.
¡Curión, subleva al pueblo! ¡Y tú, Marcelo,
la libertad defiende! ¡Tú, a la gloria
de Lentulio, conduce a tus cohortes!
¡César! ¿Qué tardas en llegar a Roma?
¡Y tú, Pompeyo, tu valor demuestra
venciendo a tu rival! Mas no; su gloria
relumbrará en Farsalia nuevamente,
y allí obtendrás tu postrer derrota.
—Así habló la Discordia enardecida
y encendió al Universo con su antorcha.

Eumolpo escupía su bilis a borbotones, al tiempo que iba declamando sus versos. Al concluir, llegábamos ya a Crotona, donde nos hospedamos en una miserable posada. Al día siguiente, salimos en busca de un albergue más digno y tropezamos con una cuadrilla de buscadores de herencias, que quisieron saber quiénes éramos y de dónde veníamos. Les contestamos de acuerdo con el plan que habíamos trazado, con tal seguridad y tal número de detalles, que cayeron en la red y se apresuraron a ofrecer sus riquezas a Eumolpo, intentando todos obtener sus favores por medio de atenciones y de presentes.

CXXIV

Hacía tiempo que así vivíamos en Crotona y Eumolpo, henchido de felicidad, llegó a olvidar su anterior condición, enorgulleciéndose con frecuencia de su gran poder y jactándose de que podía evitarle el castigo a cualquier delincuente si así se le antojaba. En cuanto a mí, aunque engordaba claramente en el seno de aquella abundancia, y parecía que la Suerte se había cansado de perseguirnos, no podía abandonar mis reflexiones acerca de nuestra posición y nuestro origen. Me decía que si cualquiera de aquellos intrigantes pedía informes a África, se iba a descubrir nuestro juego. ¿Qué sucedería, me preguntaba, si el criado de Eumolpo, por envidia o por venganza descubría todo el juego? Nos veríamos obligados a ir de nuevo errantes y mendigando, después de creer que habíamos vencido a la pobreza. ¡Oh, dioses! ¡Viven en continua zozobra del castigo que merecen!

En estas lúgubres reflexiones, salí de casa para dar un paseo y tomar el aire, pero no había dado aún diez pasos por la vía pública, cuando una muchacha de muy agradable aspecto se me acercó, llamándome Polienos, que era el que había adoptado con mi metamorfosis, me declaró que su señora deseaba verme y me rogaba, por tanto, acudir a donde me esperaba.

—Te equivocas —repliqué turbado—, soy esclavo de un extranjero y no merezco tal favor.

CXXV

—Me han enviado en tu busca —advirtió ella— pero tú, orgulloso de tus encantos, vendes tus favores en vez de concederlos. ¿Por qué, si no, te has rizado los cabellos de modo tan artístico? ¿A qué, si no, ese rostro tan pintado, esos ojos de mirar lascivo y ese modo de andar acompasado y casi majestuoso? ¿No es una prueba de que exhibes tus atractivos para venderlos al mejor postor, como una prostituta? Aquí donde me ves nada sé de augurios ni entiendo de cálculos astronómicos, pero sé las intenciones en el rostro de un hombre y nada más verte he comprendido cuáles son las tuyas. Si vendes lo que te piden, el cliente está dispuesto. Si lo regalas, lo que es mucho más honrado, haz lo que te solicitan. El hecho de que seas un esclavo, que consideras un obstáculo, aumenta el deseo que has encendido. Hay mujeres que gozan con lo más bajo. Se enardecen a la vista de un esclavo miserable o de un sirviente desharrapado, otras a quienes excitan un gladiador, un acemilero cubierto de polvo o un histrión que se prostituye. Mi señora es de ésas. Descendería hasta la arena para satisfacer sus deseos con el último servidor.

Encantado por las explicaciones de la graciosa mensajera, exclamé:

—Dime, te ruego, ¿eres tú, acaso, esa que ama?

Le causó una gran risa mi fría pregunta:

—No te amo —replicó—, así que no te enorgullezcas. Yo no he sido jamás de un esclavo ni quieran los dioses que eso llegue a suceder, exponiéndome a que un día crucifiquen a mi amante. Eso queda para las mujeres que besan las cicatrices del látigo en la espalda de sus amantes. Yo no soy más que una sirvienta, pero no me entrego sino a los nobles.

No me cansaba de admirar el contraste entre esas dos mujeres de tan diferente condición, trastocada por la naturaleza, pues mientras la doncella, por sus gustos e inclinaciones, era una soberbia matrona, la señora parecía una pobre sirvienta. Tras algunos minutos de agradable charla, rogué a la doncella que condujese a su ama al vecino bosquecillo de plátanos, lo que a aquélla pareció muy bien, y no me hizo esperar mucho tiempo, volviendo de su misterioso asilo con la dama desconocida que se sentó a mi lado. Jamás produjo la escultura un busto más bello y perfecto. Carezco de palabras para describir todos los encantos que en un solo cuerpo se reunían. Sus cabellos rizados y recogidos sobre la estrecha frente caían sobre los hombros en innumerables bucles. Sus cejas, de perfecto arco, casi se cruzaban, en un gracioso trazo. Eran sus ojos más brillantes que las estrellas en la noche, su nariz ligeramente arqueada y su boca recordaba la que el divino Praxíteles había atribuido a Venus. Su graciosa barba, su cuello de cisne, sus finas manos, sus pies enfundados en redecillas de oro, todo su cuerpo, de una blancura que envidiaría el mármol de Paros, me hizo olvidar para siempre los encantos de Doris, a la que tanto había amado.

¿Qué se hicieron tus rayos, dios Tonante?
Junto a Juno reposas, fatigado,
y ya no intentas nuevos amoríos
de los dioses con mofa y con escándalo.
Ahora debieras convertirte en toro
o en cisne amante de plumaje raro,
para tocar de esta Danae el cuerpo
que encendiera de amor el tuyo helado.

CXXVI

Estos versos me valieron tan amable sonrisa, que imaginé ver a la propia Diana mostrando su disco de plata a través de una tenue nubecilla. Luego, acompañándose de un gracioso mohín, me dijo:

—Si no desdeñas a una mujer honrada, que hasta hace un año era virgen, acéptame por amante. Sé que tú tienes un querido y no me importa lo que he averiguado, pero ¿te impide eso tener también una querida? Me ofrezco de buen grado y si te avienes puedes, en cuanto lo desees, sellar nuestro pacto con un beso.

—Por tus divinos atractivos —contesté—, seré más bien yo quien te ruegue que me admitas a mí, pobre extranjero, entre el número de tus adoradores. Permíteme que te admire con fervor religioso y no imagines que llego al templo del Amor, sin ofrendas, pues estoy dispuesto a sacrificarte mi querido.

—¿Cómo? —indagó ella—. ¿Estás dispuesto a sacrificarme a ese niño sin el cual no puedes vivir? ¿Ése de cuyas caricias depende tu dicha y al que amas tanto como yo quisiera que llegaras a amarme a mí?

Lo dijo con tal gracia, su voz resultaba tan dulce y armoniosa, que sus palabras me parecieron cantos de sirena e imaginé que veía resplandecer en torno suyo una aureola más brillante que la luz del sol. Quise saber cuál era su nombre en el Olimpo, pues la creía una diosa.

—¿Es que mi sirvienta no te ha dicho que me llamo Circe?[47]
Sin embargo, no soy hija del Sol ni mi madre pudo nunca detener
al astro del día a su capricho. Pero, si nos unimos en amoroso
lazo, me sentiré tan dichosa como una auténtica hija del cielo.
Veo en esto una influencia secreta de alguna divinidad, pues una
nueva Circe ama a otro Polienos. Siempre hay una incontenible
simpatía entre los dos nombres. Si me amas, ven a mis brazos y no
temas miradas indiscretas, pues tu amante no está aquí.

Me abrazó ardientemente y me fue arrastrando a una alfom-
bra de mullido césped, esmaltada de brillantes flores.

> Cómo floreció el Ida cuando Jove
> enardecido se ayuntó con Juno,
> brotando rosas, lirios y azucenas
> en torno de los dos esposos lúbricos;
> así propicia a mis amores Venus
> hizo más muelle el suelo,
> brilló radiante el Sol y redoblaron
> mi placer Febo y Venus de consuno.

Tendidos sobre el tupido césped iniciamos con mil besos los
pasos hacia un mayor placer, pero al intentarlo, me acometió una
súbita debilidad y defraudé las esperanzas de Circe.

CXXVII

Indignada por la injuria, exclamó:
—¿Qué ocurre? ¿Es que te repugnan mis ardientes besos?

---

47. Diosa, hija del Sol, que se encerró en la isla de Ea, cerca de Etruria. Atraía a
sus amantes para destruirlos. Uno de ellos llevaba el nombre de Polienos y lo
convirtió en cerdo. Quiso hacer lo mismo con Ulises, pero éste era demasiado listo.

¿Está mi cuerpo macerado por el ayuno? ¿Es que mi aliento te ofende o el sudor me hace antipática? ¿Quizás es que temes que se entere Giton y el miedo te paraliza los miembros?

El rubor me cubrió el rostro y la vergüenza me arrebató la poca virilidad que me quedaba. Me sentí como un paralítico.

—No busques en ti, mi reina —repliqué—, la causa de mi deserción. Debo ser víctima de algún maleficio.

Pero una excusa tan necia no pudo calmar la arrolladora cólera de Circe. Me dirigió una mirada de desprecio y, volviéndose a su doncella, le dijo:

—Crisis, sé sincera. ¿Soy tan repugnante? ¿Voy mal arreglada? ¿Alguna deformidad mengua mi belleza? No le ocultes la verdad a tu señora, pues no sé qué reproche hacerme.

Al ver que callaba su sirvienta, le quitó el espejo, lo paseó por todo su semblante, arreglándose después la túnica, no tan arrugada como suele quedar después de las auténticas expansiones amorosas y se marchó al vecino templo, consagrado a Venus. Yo, igual que un condenado y tembloroso como si hubiera visto una aparición, me preguntaba aturdido si los placeres que acababa de perder eran reales.

> Juguete del ensueño, un indigente
> halla un tesoro oculto y se lo queda.
> Sueña en llevarlo a casa,
> gozando de antemano tal riqueza,
> y asustado vacila, porque teme
> que recobre su presa
> el dueño del tesoro; el sudor cubre
> su rostro cuando el trance aciago piensa,
> y lleno de angustiosa incertidumbre
> el infeliz despierta,
> y Creso imaginario de un momento
> al despertar recobra su miseria.
> Involuntariamente a todas partes

> mira, buscando ansioso su riqueza,
> y durante un instante, todavía
> acaricia su mente tal quimera.

Todo concurría a hacerme creer que mi infortunada aventura había sido un sueño, una verdadera alucinación. Era, sin embargo, tan grande mi debilidad, que tardé mucho en poderme levantar. Sin embargo, a medida que se disipaba el agotamiento de mi espíritu, fui recobrando las fuerzas y pude volver pronto a casa, acostándome enseguida bajo pretexto de encontrarme indispuesto. No tardó en entrar Giton en mi dormitorio, entristecido por el anuncio de mi dolencia. Para que se calmase, le dije que me había acostado por necesitar descanso, debido a algunas causas que inventé, pero sin aludir ni de pasada a mi infortunio, por temor a los celos. Para disipar toda sospecha, le hice acostar conmigo, con el propósito de darle alguna prueba de amor, pero, anhelante y cubierto de sudor, tuve que desistir. Entonces, él se levantó furioso y me reprochó mi debilidad, atribuyéndola a falta de amor, añadiendo que ya sabía que desde hacía tiempo era otra persona quien gozaba de las primicias de mi virilidad.

—No ha desaparecido mi amor —le aseguré—, pero ahora, al tener más razón por tener más edad, mi pasión y mis transportes se moderan.

—Entonces —respondió en tono burlón—, te doy las gracias por amarme como Sócrates.[48] Alcibíades no salió nunca tan inmaculado del lecho de su maestro como yo del tuyo.

---

48. Sócrates se jactaba de que la pureza de sus sentimientos le permitía contemplar a un bello mancebo sin que le vencieran los malos deseos.

CXXVIII

Fue en vano que insistí:

—Créeme, amado, que ya no soy hombre. Nada siento. Muerta se halla aquella parte de mi cuerpo que hasta hace poco me convertía en un nuevo Aquiles.[49]

Convencido de mi impotencia y temiendo que, de sorprendernos alguien, nos amonestaran, Giton se apartó de mis brazos y huyó hacia las habitaciones interiores. En cuanto hubo salido el muchacho, entró Crisis con un pergamino de su señora, que decía:

«CIRCE A POLIENOS, SALUD:

»De ser yo libidinosa, me quejaría de verme defraudada, pero, al contrario, ahora doy gracias por tu impotencia que ha venido a prolongar la ilusión del placer. Me pregunto cómo han podido sostener tus piernas a tu cuerpo y llevarlo hasta tu casa. Los médicos niegan que se pueda andar sin nervios. Te advierto, muchacho, que estás amenazado de parálisis y jamás he visto a un enfermo tan en peligro como tú. ¡Caer a la mitad del combate! Si un frío semejante invade tus rodillas y tus manos, te aconsejo que prepares tu tumba. ¿Cuál puede ser el remedio? Aunque me has injuriado gravemente con tu falta de virilidad, te tengo compasión y no deseo ocultarte la medicina. Si quieres curarte, apártate de Giton y, a los tres días de no dormir con tu amante, recuperarás todo tu vigor. En cuanto a mí, no me engañan ni mi espejo ni mi fama y no han de faltarme amantes. Salud, si es que puedes recobrarla».

---

49. Aquiles, aparte de tener un talón vulnerable, era invencible en la guerra y triunfaba en todos los combates. De ahí la frase de Eumolpo.

Al ver Crisis que había leído toda la mordaz epístola, me dijo:

—Suelen ocurrir cosas así en nuestra ciudad, en la que abundan las brujas, capaces de bajar la Luna de sitio. Por tanto, tu mal tiene remedio. Responde con amabilidad a mi señora, intentando reconquistarla, con una franca confesión de tu culpa. Es cierto que desde que sufrió tan injuriosa decepción, se encuentra completamente fuera de sí.

Seguí el consejo de la sirvienta y escribí en el mismo pergamino:

CXXIX

«Polienos a Circe, salud:

»Confieso, señora, haber cometido faltas, pues soy hombre y, además, joven. Pero hasta ahora ninguno de mis delitos merecía la muerte. Aquí tienes al reo convicto y confeso. Merezco cualquier castigo que quieras imponerme. Soy un traidor, un homicida, un blasfemo. Inventa tormentos para estos crímenes. Si deseas mi muerte, yo mismo te proporcionaré el puñal; si te bastan los azotes, yo traeré las cuerdas bien anudadas. Recuerda, no obstante, que no fui yo, sino mi instrumento, quien delinquió. Centinela, me faltaron las armas. Ignoro quién me las quitó. Por fuerza, mi imaginación debió adelantarse a mi cuerpo; por fuerza, el contacto consumió la voluptuosidad. No puedo explicar lo que me sucedió. Me previenes contra la parálisis. No se en qué más puede afligirme que el no haberte poseído. Para resumir, mi mejor excusa es ésta. Permítame que enmiende mi error y te dejaré satisfecha. Salud».

Una vez se marchó Crisis, tras renovarme sus esperanzadoras promesas, me decidí seriamente a devolver el vigor a la parte debilitada. Prescindí del baño, limitándome a darme algunas fricciones. Tomé alimentos que pudieran estimularme y bebí poco. Después, predispuesto al sueño por un corto paseo, me acosté sin Giton. Tenía tal ansia por reconciliarme con Circe, y poseerla, que me asustaba el menor contacto con mi querido.

CXXX

Al día siguiente, me levanté sano de cuerpo y alma y me dirigí al mismo bosquecillo de plátanos. Me detuve en el mismo lugar que tan funesto me fuera la noche antes y esperé bajo los árboles a que Crisis viniera a conducirme junto a su ama. Tras dar un paseo, acabé por sentarme en el mismo sitio que la víspera, momento en que la vi llegar, acompañada de una anciana.

—¿Cómo va ese cuerpo? ¿Qué tal andas hoy de vigor? —me preguntó.

Entonces, la vieja se sacó del seno una redecilla de hilos de distintos colores, me la anudó en el cuello. Luego, se escupió en el dedo cubierto de polvo y, con el barro que se formó, me hizo una señal en la frente, que me dio mucho asco, mientras salmodiaba:

«Si estás vivo, espera. ¡Y tú, dios constante
de flores y amores ayuda a este amante!»

Tras esta invocación a Príapo, me mandó escupir tres veces y echarme a la túnica unas piedrecillas que ella traía envueltas en un pañuelo púrpura. Entonces, acercó las manos a la parte enferma y enseguida se operó el milagro. El culpable alzó la cabeza y apartó la mano de la anciana, que miraba con estupefacción la enormidad del prodigio. Entusiasmada, dijo contemplándolo:

—Mira, Crisis mía, fíjate en qué hermosa liebre he levantado y no para mí, sino para otra.

La cura era completa y la vieja me dejó en manos de la joven que parecía muy contenta de que su ama hubiese recuperado el tesoro que imaginaba perdido. Me acompañó sin perder tiempo hasta Circe, introduciéndome hasta una deliciosa villa, en la que la naturaleza parecía haber desplegado sus más preciados tesoros.

> Sombra en él daban plátanos frondosos,
> esbeltos pinos, trémulos cipreses,
> que sobre arena de oro, su ramaje
> siempre ostentan lozano, siempre verde.
> Arroyos juguetones, bulliciosos,
> serpean por el prado y lo embellecen,
> prestándole frescura, y los amantes
> aquel retiro encantador quisieron
> para gozar con todos los sentidos
> tendidos sobre el césped.

Encontré a Circe en un lecho de oro, en el que apoyaba su cuello alabastrino, mientras con la mano agitaba una rama de mirto.[50] Al verme, se ruborizó, recordando sin duda la ofensa que recibiera la víspera. Pero, cuando hizo retirar a toda la servidumbre y yo, obedeciendo su invitación, me senté a su lado, ella me cubrió la cara con la rama de mirto, para preguntarme más audaz, puesto que no me veía los ojos:

—¿Cómo estás, paralítico? ¿Viniste hoy completo?

—¿Para qué lo preguntas —respondí—, si lo puedes comprobar?

Me precipité en sus brazos y, al no encontrar resistencia, sentí crecer mis goces, mientras cubría de besos sus esculturales formas.

---

50. El mirto estaba consagrado a Venus, diosa del amor. Esta planta la había ocultado cuando la perseguían los sátiros. Se coronaba con ella a las doncellas que iban a desposarse.

CXXXI

La hermosura de su cuerpo me impulsaba a poseerlo. Ya del roce de nuestros labios brotaban innumerables y sonoros besos, ya nuestras manos habían reconocido todos los órganos de placer, ya nuestros cuerpos, estrechamente enlazados, se estremecían de gozo e iba a realizarse ya la fusión de nuestras almas, cuando de improviso, en lo mejor del viaje del placer, me abandonaron nuevamente las fuerzas y no pude llegar al venturoso y anhelado término. Enfurecida por esta inexcusable afrenta, Circe no pensó sino en vengarse de mí y llamó a los esclavos para que me azotasen. Pero de súbito el castigo le pareció demasiado blando y reunió a toda la servidumbre, incluida la encargada de los más bajos menesteres, con el propósito de que me insultasen. Me limité a cubrirme los ojos con las manos y, sin súplicas ni peticiones, convencido de que lo merecía, me echaron de allí cubierto de golpes y salivazos. También arrojaron de la casa a la vieja Proselenos e incluso Crisis recibió una pena de azotes. Todos los criados se preguntaban en voz baja la causa de la indignación de su señora.

Regresé a casa, con el cuerpo lleno de contusiones y la piel con más manchas que una pantera, todo lo cual me apresuré a disimular, temiendo que mi aventura excitase las burlas de Eumolpo y de Giton. Por tanto, recurrí a lo único que podía salvar mi buen nombre. Me fingí enfermo y, una vez en el lecho, descargué mi furia contra la única causa de mi infortunio.

> Tres veces empuñé con mano fuerte
> la cuchilla fatal, mas desistiendo
> de podarme, dejéla. El miembro frío,
> aún más frío que el hielo,
> parecía buscar donde ocultarse
> a la venganza del cortante acero,
> y no pudiendo así sacrificarlo,
> desbordó en llanto mi despecho ciego.

Apoyado en un codo, estuve apostrofando al invisible contumaz:

—¿Qué dices, vergüenza de la naturaleza? Pues iba a ser necedad darte nombre serio. ¿Qué contestas? ¿Es que merezco que me precipites en el infierno, cuando ya alcanzaba el cielo? ¿Por qué, estando en la primavera de mi vigor, me transportas al invierno de la más decrépita vejez? Contesta, te lo ruego, ¿es que has muerto?

Así estallaba mi ira.

> Y él insensible, lacio, inconmovible,
> mustio, como una flor que el tallo inclina,
> cubría su cabeza avergonzado,
> como cierra sus hojas flor marchita.

Al reflexionar acerca de la indecencia de tales insultos, me arrepentí de haberlos proferido, sintiéndome muy confundido por haber olvidado las leyes del pudor hasta el extremo de ocuparme de esa parte del cuerpo que nunca mencionan y ni siquiera piensan en ella los hombres que se respetan. Me golpeé en la frente y me dije: «Al fin y al cabo, ¿he hecho algo mal aliviando mi dolor con reproches tan naturales? ¿Quién no hace lo mismo con su vientre, con su garganta o su cabeza, cuando le duelen? ¿Es que acaso Ulises no apostrofó a su corazón? También los héroes de las tragedias maldicen sus ojos, como si éstos pudieran oírles. El gotoso se lamenta de sus pies, el epiléptico de sus manos temblorosas, el legañoso de sus ojos; e incluso cuando nos herimos algún dedo de la mano, el dolor hace que golpeemos los pies contra el suelo, como castigándolos».

> ¿Por qué arrugas, Catón, tu tersa frente?
> ¿Te hace mi obra, Catón, fruncir las cejas?
> Las pláticas morales
> me aburren al extremo por severas.

Del pueblo pintó las costumbres todas
y trató del que copia exacta sea.
¿Quién del amor ignora los transportes?
¿Quién en mullido lecho, la pereza
no ha sentido? ¿Creamos a Epicuro
que pinta de los dioses las miserias
y son, después de todo,
iguales a las nuestras?

Nada más ridículo que los juicios del estulto; nada más absurdo que la severidad del incapaz.

CXXXII

Tras estas reflexiones, llamé a Giton y le dije:

—Cuéntame, amigo, pero con entera franqueza, si la noche en
que Ascylto te sacó de mi lecho llegó a injuriarme, a través de ti, o
se limitó a tenerte púdicamente a su lado.

El niño, cubriéndose los ojos con las manos, me juró con
vehemencia que Ascylto no le había ultrajado. Tan aturdido me
encontraba yo por los acontecimientos del día que ni sabía dónde
tenía la cabeza ni me daba cuenta de lo que hacía. ¿Por qué
buscaba yo en el pasado nuevos motivos de aflicción? Al fin, algo
más tranquilo, me preocupé de los medios de recuperar mi vigor.
Pensé en ofrecer mi cuerpo a los dioses y, en efecto, salí para
invocar a Príapo. Simulando una esperanza de la que carecía, me
arrodillé en el templo y dirigí esta plegaria al dios que allí se adora:

«¡Hijo de Baco y de la hermosa Venus,
numen de los jardines y las selvas!
¡Dios juguetón de lésbicos amores!
Ya que la Aurora en su carroza bella
te eleva un templo por rendirte culto,

¡Príapo, escucha al mortal que aquí te ruega!
No soy un parricida ni un sacrílego;
no vengo aquí manchada la conciencia
con crímenes sangrientos o terribles;
sino a pedirte más vigor y fuerza.
Una parte de mí quedóse helada
cuando yo más necesitaba de ella.
Quien confiesa su culpa es menos reo.
Yo pequé, mas pequé por impotencia.
Lo que te sobra a ti y en ti admiramos,
concédeme, por reparar la ofensa
hecha al amor, o quítame al instante,
pues de nada me sirve, la existencia.
Si prolongar mi juventud, ¡oh, Príapo!
concederme quisieras,
tres veces te prometo, alegremente,
ebrio de amor, dar a tu altar la vuelta.»

Mientras dirigía yo esta plegaria, sin apartar los ojos de la parte difunta, entró la anciana Proselenos, con los cabellos en desorden y cubierta por una deforme túnica. Me tomó por el brazo y me arrastró hasta el pórtico.

CXXXIII

—¿Qué vampiros —me apostrofó— te han devorado los nervios? ¿Es que pasaste alguna noche por las calles y pisaste un cadáver o alguna entraña? Ni siquiera con Giton has conseguido demostrar que eres hombre; flojo, gastado, cansado, lo mismo que un caballo en el matadero, has perdido las fuerzas sin alcanzar el final. Pero, no contento con pecar, has atraído la cólera de los dioses sobre mí. ¿Crees que eso no merece que te castiguen?

Sin palabras, me arrastró a la celda de la sacerdotisa sin que yo me atreviera a resistirme y, arrojándome al lecho, agarró un palo que había tras la puerta, con el que comenzó a pegarme. Por suerte, el palo se rompió al primer golpe, sin lo cual me hubiera partido brazos y piernas, tal era su furor. Yo seguía callado pero no pude contener un gemido cuando la vieja, con sus manos arrugadas, intentó despertar lo que había dormido la naturaleza. Rompí en llanto, me recosté sobre la almohada y me tapé la cabeza con el brazo derecho. La anciana, por su parte, también lloró, sentada a los pies del lecho, clamando contra el destino que prolongaba su vida inútil. Acudió la sacerdotisa, atraída por nuestras voces:

—¿Por qué habéis venido a mi celda —indagó— como quien se oculta en la selva para quejarse? ¿Y en un día de fiesta en que todos deben mostrarse alegres?

—¡Oh, Enotea! —respondió la vieja—. Este joven que ves aquí ha nacido con mala estrella. Ya no pueden sacar de él ni doncellas ni adolescentes. Nunca existió hombre tan desgraciado. Por miembro tiene una vejiga de agua. ¿Imaginas que haya alguien que pueda abandonar el lecho de Circe sin satisfacer sus deseos más voluptuosos?

Al oírlo, Enotea se sentó entre los dos y movió la cabeza con aire de suficiencia.

—Yo soy la única —dijo— que puedo poner remedio a eso. No lo toméis como jactancia. Si este muchacho duerme una sola noche conmigo, lo devolveré tan vigoroso como un toro.

> Para mí se engalana el universo
> o los campos se cubren de tristeza,
> según mi voluntad. De rocas áridas
> hago brotar el manantial, que riega
> y fecunda el erial. Céfiro blanco
> se adormece a mis pies cuando yo quiera,
> o se transforma en Aquilón que arrasa
> cuanto a su paso encuentra.

La tigre hircana y los dragones fieros
y la Luna desciende a visitarme,
y se estremece de pavor la tierra,
y herido Febo la carroza para,
tiemblan en mi presencia,
acatando mis órdenes severas.
Si el Toro guardó el rayo, obedeciendo
a la voz suplicante de Medea;
si Circe convirtió los valerosos
griegos de Ulises en carneros; si esas
de Proteo admirables
transformaciones múltiples contemplas,
no te sorprenderá de modo alguno
que a tu miembro el vigor devolver pueda,
yo que puedo llevar a las montañas
el mar, dejando al aire sus arenas.

CXXXIV

Me estremecí de horror ante la exposición de tantas maravillas y miraba admirado a Enotea, cuando ésta me dijo:

—Prepárate a obedecerme.

Y después de lavarse con cuidado las manos, se inclinó sobre
el lecho y me besó por dos veces. Luego, colocó una mesa vieja en
el altar y la cubrió de brasas. Pendía de la pared una escudilla
vieja, deteriorada por el tiempo. La descolgó la sacerdotisa y el
clavo cayó al suelo. Reparó la escudilla con una pasta resinosa y
volvió a afianzar el clavo en la ahumada pared. Se ciñó luego un
delantal cuadrado, puso una gran olla al fuego y, con una horquilla, descolgó un saco que, además de habas para su comida, contenía un trozo de tocino rancio con mil heridas, y volcó en la mesa
una porción de legumbres, ordenándome que las pelara. Me apresuré a obedecer y comencé por separar todas las que me parecie-

ron podridas, pero Enotea se impacientaba por mi lentitud y cogió las habas que yo aparté, para desgranarlas con los dientes y tirar las envolturas. La pobreza aguza el ingenio y con el hambre se desarrollan las artes con singular prontitud. La sacerdotisa era un ejemplo viviente de moderación. En toda la casa se respiraba economía, constituyendo un verdadero santuario de indigencia.

No había allí marfil, oro ni bronces,
ni se pisaba el mármol;
 su lecho de reposo era de paja
un montón, dentro de un saco;
varias cestas, pucheros y cazuelas;
de vidrio algunos tarros
con residuos de vino forman todo
de la sacerdotisa el mobiliario.
Una estera de paja cubre casi
las paredes del cuarto,
y en la frente con juncos y rosales
se ha formado una especie de santuario.
Tal fue el retiro, ¡oh Hércules!,
que en Actea has gozado,
tú a quien las Musas tanto han aplaudido
cubriéndote de inmarcesibles lauros.

CXXXV

Cuando concluyó de limpiar las habas, Enotea comenzó a chupar el pedazo de tocino y volvió a colgar el saco, con ayuda de la horquilla; se subió a una silla tan vieja como ella misma, que se cayó al no poder sostener su peso, arrastrando a la sacerdotisa que, al caer, volcó la olla, cuya agua apagó el fuego que empezaba a prender. La vieja se quemó en el codo con uno de los tizones y el semblante se le ensució de ceniza. Asustado, acudí a levantarla pero sin reírme por el incidente y temiendo que éste retrasara el sacrificio que debía devolverme la virilidad. La vieja, una vez en pie, corrió a casa de una vecina a pedirle fuego. No hizo más que salir, cuando tres patos sagrados que debían recibir a aquella hora su alimento de manos de la sacerdotisa, se lanzaron sobre mí, aturdiéndome con sus furiosos gritos. Uno me desgarró la túnica, otro me desató las sandalias y el tercero, que parecía ser el jefe, se atrevió incluso a herirme en una pierna, con un pico que se diría de hierro. Furioso por este ataque, tomé como arma una de las patas de la mesa, perseguí a mi agresor y le maté de un certero golpe.

> Tal temiendo de Alcides valeroso
> la ingeniosa y mortal estratagema,
> se volvieron al cielo, en vuelo rápido,
> los que a Hércules recrear
> y así los que mancharon el banquete
> huyeron al aspecto de Calayo
> el aire conmoviendo con sus quejas.

Los dos patos supervivientes se dedicaron a comerse las habas esparcidas por el suelo y, asustados sin duda por la muerte de su jefe, se refugiaron en el templo. Yo, satisfecho a la vez de mi victoria y del botín que me proporcionaba, oculté el cadáver de mi víctima detrás del lecho y me curé con vinagre la herida de la pierna. Luego, temeroso de los reproches de la anciana, decidí escapar, pero apenas pisaba el umbral, le vi regresar con un desvencijado hornillo encendido. Subí de nuevo las gradas del atrio, me quité la toga y me quedé en la puerta del cuarto, como si la esperase con impaciencia. La sacerdotisa volvió a encender el fuego, excusándose por haber tardado tanto, ya que su amiga no le permitió que se fuera sin hacer las tres libaciones de costumbre.

—¿Y tú, qué hiciste en mi ausencia? —me preguntó—. ¿Dónde están las habas?

Yo, que imaginaba haber hecho algo digno de loa, le conté lo sucedido y, para consolarla de la muerte del pato, me ofrecí a comprarle otro. Al ver a la víctima, la sacerdotisa lanzó un grito tan espantoso, que parecía que los tres palmípedos habían entrado de nuevo en la habitación. Sorprendido y sin comprender en qué consistía este nuevo crimen, pregunté a la vieja por qué se desesperaba tanto y concedía mayor importancia a la muerte de un pato que a mi pierna herida.

CXXXVI

Uniendo con rabia las manos, dijo:

—¿Y aún te atreves a hablar, asesino? No comprendes el alcance de tu crimen. Has asesinado al favorito de Príapo, un pato que todas las matronas crotoniatas deseaban. No creas que se trata de una falta leve; de hacerse público, los magistrados te crucificarían. Has manchado de sangre mi inmaculado hogar y me expones a que me expulsen del sacerdocio si algún enemigo mío lo descubre.

Dijo y las hebras de plateados bucles
que su frente adornaban se arrancó
luego arañóse el arrugado rostro
y el llanto amargo sofocó su voz.
Como nieve deshecha en el estío
baja al valle veloz
convertida en torrentes, tal su llanto
su rostro anciano y trémulo inundó,
mientras el pecho palpitaba triste
a impulsos del dolor.

Entonces, le dije yo:

—Te ruego que no te desesperes por eso, que yo te regalaré otro pato.

Ella, sin siquiera escucharme, seguía llorando y, en eso, entró Proselenos que traía el dinero necesario para los gastos del sacrificio. Se interesó por las razones de nuestra tristeza y, cuando vio el cadáver del pato, rompió a llorar más fuerte aún que la sacerdotisa, compadeciéndose de mi suerte, como si hubiera yo asesinado a mi padre en vez de a un palmípedo que vivía a expensas del público. Harto de oírlas quejarse, exclamé:

—Os lo ruego, decidme si no puedo expiar mi crimen, y aunque fuese un crimen mayor, con dinero. Aquí tenéis dos monedas de oro, con las que podéis comprar patos e incluso a los mismos dioses.

Al verlas, Enotea dijo:

—Es por ti, mi dolor. Por cariño a ti y no por maldad me desesperaba. Procuraremos que esto no se sepa. Y tú ruega a los dioses que te perdonen.

> El rico no naufraga: omnipotente,
> dirige a la fortuna y la sujeta.
> Si ama a Danae cautiva, con el oro
> la gozara, quebrando sus cadenas;
> hace versos si quiere;
> es abogado
> aún mejor que Catón; declama; enseña,
> y en el Senado augusto y en el foro
> manda como amo y todo lo gobierna.
> En estos tiempos, ¡ay!, se compra todo,
> todo al oro se entrega;
> hasta a los dioses, hasta el mismo Júpiter
> de sus rayos el arca acaso venda.

Mientras, Enotea se preparaba para el sacrificio. Colocó bajo mis manos una vasija llena de vino y luego cortó puerros y perejil. Me hizo extender los dedos, que fue regando con el alcohol, lo mismo que si fuera agua milagrosa y echó las hierbas en el vino, mientras iba pronunciando palabras mágicas. Según se hundían o flotaban las hierbas, parecía descifrar mi futuro. No me dejé engañar por esas supercherías, ya que los puerros vacíos flotan y en cambio, sus cebollas, que están llenas, se hunden. Después, rajó el pato para sacarle el hígado, que estaba en perfecto estado, con el propósito de predecirme el porvenir. Al fin, para que no quedaran restos de mi crimen, fue cortando el ave en pequeños trozos y los puso a cocer, para obsequiar con ellos a quien poco antes pedía que crucificasen. Las dos ancianas bebían sin descanso y devoraban con gran apetito trozos medio crudos del pato que fue la causa de tantas lágrimas. Cuando ya nada quedó, Enotea, casi borracha, se me acercó, diciendo:

—Ahora, concluiremos este sacrificio para que tus nervios recobren su antiguo vigor.

CXXXVII

Trajo entonces una jeringa, llena de polvos de pimienta y de ortigas picadas disueltas en aceite y me lo introdujo poco a poco en el ano. Luego, la implacable anciana me frotó los muslos con ese licor estimulante. Con una nueva mezcla de plantas, me puso una cataplasma en la parte enferma, tras lo que me azotó suavemente el bajo vientre con un manojo de ortigas. Estos manejos me causaban punzantes dolores, y para librarme de ellos emprendí la fuga. Las viejas, furiosas, me persiguieron a toda prisa y, si bien algo aturdidas por el vino, tomaron mi mismo camino, gritaban como locas:

—¡Detenedlo, detenedlo!

Logré al fin desprenderme de ellas y llegué a casa con los pies ensangrentados por la carrera, exhausto y dolorido, acostándome enseguida. Me fue imposible conciliar el sueño. Todas mis desgracias acudían a mi memoria, y convenciéndome de que jamás hombre alguno había sufrido tales contratiempos. La Fortuna, me decía, que siempre me fue adversa, ¿tenía acaso necesidad de aliarse con el Amor para aumentar mi tortura? ¡Desgraciado de mí! La Fortuna y el Amor conspiraban en contra mía. Este mismo Amor que, amante o enamorado, jamás me fue propicio. Ahora es Crisis la que me ama perdidamente y me persigue con insistencia. Ella, que intentó reconciliarme con su señora y que desdeñaba a los esclavos, de los que yo llevaba el traje, Crisis, que tanto despreciaba mi condición servil, y que ahora pretendía seguirme con gran peligro de su vida. Me había jurado, al revelarme su pasión, que me seguiría como mi sombra. Pero sólo puedo pertenecer a Circe y todas las demás mujeres me son indiferentes. ¿No es acaso Circe la más hermosa de todas? ¿Podían compararse a ella Ariadna o Leda? ¿Acaso Helena o la misma Venus reunieron jamás tantos encantos? Si Paris,[51] al juzgar las bellezas, hubiese visto los incomparables ojos de Circe, habría dado por ella a Helena y a las otras tres diosas.¡Qué dicha si me permitiesen robarle un beso, y estrechar entre mis brazos su hermoso cuerpo! Creo que así recuperaría todo mi vigor y, mis miembros, dormidos por algún maleficio, toda mi antigua virilidad. No me herían sus ultrajes; había olvidado los golpes recibidos. Me arrojó de su lado; pero no me importaba. ¡Sólo deseaba reconquistar su favor!

CXXXVIII

Tales reflexiones, obsesionado por la hermosísima Circe, me hacían revolverme en el lecho y estrujarlo, como si tuviese entre mis brazos al encantador objeto de mis deseos, pero todo fue en

---

51. Paris, hijo de Príamo, rey de Troya, fue abandonado en un monte, pues existía la profecía que destruiría la ciudad. Allí le recogieron unos pastores. Cuando ya era mayorcito, Venus, Minerva y Juno le pidieron que eligiera a la más hermosa. Él se decidió por la primera, que le prometió ayudarle en sus amores. Y así se pudo escribir la *Ilíada*.

vano. Esto acabó con mi paciencia, por lo que me entregué a los más violentos reproches contra el maligno hechicero que, sin duda, me había embrujado. Se calmó al fin mi espíritu y, buscando entonces motivos de consuelo entre los héroes de la antigüedad, que, lo mismo que yo, fueron perseguidos por los dioses, exclamé:

¡No sólo a mí los dioses me persiguen!
Juno hizo a Alcides sostener los cielos;
y también Pelias de la altiva diosa
sufrió de la venganza el duro peso.
Laomedonte fue muerto en los combates
por su perjurio, y de los gemelos,
inocente del crimen que le imputan,
fue víctima Télefo.
Ulises de Neptuno fue juguete.
Yo, de Venus y Príapo soy muñeco.

Pasé la noche torturado por la inquietud y la ansiedad. Ya de día, Giton, informado de que yo había dormido en casa, entró en mi cuarto para censurarme por mi libertinaje. Según me dijo, no se hablaba en toda la casa más que de mi licenciosa conducta, pues sólo me veían allí a las horas de servicio y aun muy rara vez. Añadió que mis negocios clandestinos me harían enfermar muy gravemente. Estos reproches me descubrieron que alguien había venido en mi ausencia a interesarse por mí y descubierto algo. Para asegurarme, le pregunté a Giton si habían preguntado por mí.

—Hoy no ha venido nadie —respondió—, pero ayer sí vino una mujer muy bonita, que, tras hacerme varias preguntas, me dijo que habías merecido tu castigo y que aún sufrirías más si la parte ofendida insistía en su queja.

Esta noticia me desesperó y me desaté otra vez en imprecaciones contra el destino. No había concluido de lamentarme, cuando apareció Crisis y, estrechándome entre sus brazos con tierna efusión, exclamó:

—Ya te tengo, como deseaba. Tú, mi único amor, mi único deseo, mi dicha. Sólo con tu sangre podrás apagar el fuego que me consume.

Me turbaban en gran manera las efusiones de Crisis y para alejarla debí recurrir a las más tiernas palabras. Temía yo que el escándalo que aquella loca armaba llegase a oídos de Eumolpo, quien, desde su prosperidad, nos trataba a todos con el despotismo de un verdadero amo. Por tanto, puse gran cuidado en calmar los transportes de Crisis, fingiendo corresponder a su amor, y le dirigí las más tiernas palabras. Por lo visto, simulé tan bien que me creyó preso por completo en las redes de sus hechizos.

Le expuse entonces los peligros a los que nos exponíamos. Pinté a Eumolpo como a un amo cruel, que castigaba con gran rigor la menor falta. Al oírlo, se apresuró a marcharse con gran prisa, pues oyó regresar a Giton, quien había abandonado mi cuarto poco antes de entrar ella. Acababa de marcharse, cuando uno de los nuevos criados de Eumolpo vino a decirme que el amo estaba furioso porque yo no había prestado servicio en los últimos días y me aconsejó que me buscara una excusa aceptable, pues no era probable que se calmase antes de azotarme. Giton me encontró tan consternado y tan abatido por tales amenazas, que no mencionó a Crisis y sólo trató de la cuestión con Eumolpo, aconsejándome que no tomara la cuestión en serio al hablar con él, sino en broma. Seguí sus indicaciones y abordé al amo con tan risueño semblante que su recibimiento, lejos de ser severo, fue de lo más alegre. Me felicitó en tono burlón por mi buena estrella y me alabó por mi buen semblante y mi arrogante figura, que se disputaban todas las damas de la ciudad.

—No ignoro —agregó— que te adora una hermosísima mujer y eso puede algún día sernos muy útil. Por tanto, mantén ese personaje, Eumolpo, hijo mío, como yo sostendré el que represento.

CXXXIX

Seguía hablando, cuando entró una matrona de las más respetables, llamada Filomena, quien en su juventud especuló con sus encantos para conseguir varias herencias. Ahora, ya vieja y arrugada, llevaba a sus dos hijos, chico y chica, a casa de los ancianos ricos y sin herederos para, sobreviviéndose a sí misma, continuar con su honesto negocio, especulando ahora con los encantos de sus hijos. Se dirigió a Eumolpo para confiárselos, recomendando a su prudencia y bondad aquellas dulces prendas de su corazón. Según dijo, Eumolpo era el hombre más sabio del mundo y el más capacitado para guiar a la juventud. Concluyó asegurando que los dejaba en aquella casa para que escucharan las lecciones de Eumolpo, que eran la mejor herencia que podía legarles. En efecto, dejó en la habitación a una hermosísima muchacha y a un adolescente, que era su hermano y se fue pretextando que iba al templo a hacer votos por su bienhechor. Eumolpo, que en este aspecto era tan delicado que habría hecho de mí su querido a pesar de su edad, no perdió el tiempo y en seguida invitó a la muchacha a un combate amoroso. Sin embargo, como se había presentado en la ciudad como gotoso y medio paralítico, se exponía a desgraciar por completo nuestros proyectos si no mantenía la impostura. Para sostener su papel, rogó a la muchacha que ocupara el puesto del hombre, tendiéndose encima de él, y luego ordenó a Corax que se colocase a cuatro patas bajo la cama, para moverlo con la espalda. Obedeció el sirviente y, con lentos y regulares movimientos, le hizo corresponder a los de la muchacha, pero cuando se acercaba el momento del goce, el viejo se puso a gritar como un loco, ordenando a Corax que redoblase la velocidad. Al verle balancearse entre el sirviente y la muchacha, no pudimos contener la risa. Concluido el acto, también Eumolpo rió de buena gana; pero repitió el juego con idéntico entusiasmo. Yo, por mi parte, no queriendo que enmohecieran mis facultades como simple testigo de aquel dulce juego, invité al adolescente, que contemplaba con avidez por entre la cortina el ejercicio gimnástico de su hermana, a que imitásemos a la feliz pareja, a lo que le encontré muy bien dispuesto. Se prestó de muy buen grado a mis caricias pero el celoso dios que me perseguía se opuso nuevamente a mi dicha. Sin embargo, este fracaso me afligió menos que los anteriores, ya que enseguida sentí recobrar mi vigor. Orgulloso anuncié:

—Los dioses mayores me han devuelto la integridad de mi ser. Quizá Mercurio, que trae y lleva las almas, me ha restituido con bondadosa magnanimidad, lo que otra divinidad hostil me había robado, para convencernos de que estoy tan armado como Protesilao o cualquier otro héroe de la antigüedad.

Con estas palabras, me fui levantando la túnica y descubrí toda mi gloria a Eumolpo y los demás presentes. De momento, el anciano se asustó pero luego, para convencerse de la realidad, acarició con ambas manos aquel presente de los cielos. Esta inesperada resurrección nos alegró mucho y nos entregamos al placer a expensas de Filomena, quien, con la esperanza de una cuantiosa herencia, nos había entregado a aquellos adorables adolescentes, a quienes, su precoz experiencia en esta clase de lances no debía proporcionarles ventaja alguna. Una vez agotada hasta la saciedad la copa del placer, este infame modo de seducir ancianos me hizo reflexionar acerca de la situación equívoca en que nos encontrábamos y, considerando el momento apropiado para hablar con Eumolpo, pues estábamos solos, le dije:

—La prudencia debe ser quien dirija todos nuestros actos. Sócrates, el más sabio de los mortales, tanto a juicio de los hombres como de los dioses, se vanagloriaba frecuentemente de no haber pisado jamás una taberna y de no haber asistido nunca a una asamblea demasiado numerosa. Es muy cierto que en todo debe consultarse a la sabiduría. Esto es indiscutible, como también lo es que no hay persona que corra más rápidamente a su perdición que aquella que especula con el bien ajeno. ¿Cuál iba a ser la suerte de los pillos y de los vagabundos si no echaran, como anzuelo para la multitud a la que van a engañar, bolsas y aun sacos de dinero? Los peces se dejan pescar por el alimento y los hombres por la esperanza, pero unos y otros precisan algo que morder. Por este motivo, los crotoniatas nos han alojado del modo más espléndido, pero al no ver llegar de África el barco cargado de dinero y de esclavos, que tanto les has anunciado, como los recursos de tus presuntos herederos se agotan y se cansa su liberalidad, pronto se llamarán a engaño. O mucho me equivoco o la Fortuna comienza a hartarse de los favores que nos ha deparado.

CXL

—He imaginado un plan para poner en grave aprieto a nuestros posibles explotadores —dijo Eumolpo y, sacando unas tablas en las que había escrito su testamento, leyó:

—«Todos los favorecidos por mi testamento, excepto los libertos, no podrán recibir sus legados excepto con la condición expresa de cortar mi cuerpo en pedazos y comérselo en presencia de todo el pueblo. Nada hay en esta cláusula que deba asustarles, pues existe una ley, vigente en muchas ciudades, que obliga a los parientes de un difunto a comérselo y es esto tan cierto que en muchos países se reprocha a los moribundos que dejen consumir su carne a causa de una enfermedad demasiado lenta. Esto debe incitar a mis amigos a devorar mi cuerpo con el mismo ardor con el que maldicen mi alma.»

Mientras leía los primeros artículos del testamento, entraron en la habitación algunos de nuestros presuntos herederos, junto con los que antes habían salido de ella, y, al verle con este documento, pidieron que se lo leyera íntegro, a lo que accedió Eumolpo, repitiéndolo desde el principio hasta el fin. Todos pusieron mal gesto al oír la cláusula que formalmente les exigía comerse el cuerpo, pero a aquellos miserables les cegaba de tal modo la riqueza que se suponía poseía Eumolpo y les tenía tan esclavizados que no se atrevieron a protestar contra esta condición hasta entonces inaudita. Uno de ellos, llamado Georgias, declaró incluso que se sometía a tal requisito siempre que los legados no se hicieran esperar mucho.

—No tengo miedo a que me rechace tu estómago —dijo Eumolpo— pues sé que si lo prometes lo cumplirás. Tras una simple hora de disgusto, vendrán múltiples satisfacciones que proporcionará la riqueza durante años. No es preciso cerrar los ojos para hacerse la ilusión de que no comen unos hígados humanos sino un millón de sestercios. Además, ya encontraréis modo de sazonar bien mi cuerpo, pues no hay manjar que sin este tratamiento despierte el apetito. El modo de prepararlos los puede disfrazar hasta quitarles toda repugnancia. Para demostraros la verdad de lo que digo, puedo citar el ejemplo de los saguntinos que, al sitiarles Aníbal, se alimentaron de carne humana durante muchos días, sin esperar herencia alguna. Los perusinos, encontrándose en la más extrema necesidad, hicieron otro tanto, comiéndose a varios de sus conciudadanos, sin más objeto que no perecer de hambre. Cuando Escipión entró en Numancia encontró en el seno de varias madres restos de niños a medio devorar. Puesto que el disgusto que inspira la carne humana, proviene sólo de la imaginación, no dudo que haréis cuanto os sea posible para vencerla, a fin de recoger los inmensos legados con los que os favorezco.

Eumolpo hablaba sin orden ni concierto y en un tono entre declamatorio y burlón, por lo que nuestros presuntos herederos comenzaron a sospechar la verdad de sus promesas. Desde aquel momento, se dedicaron a espiarnos cautelosamente, observando todas nuestras acciones y pesando todas nuestras palabras, de cuyo examen aumentaron sus sospechas, convenciéndose muy pronto de que no éramos más que unos vagabundos y unos bribones. Entonces, aquellos que más habían gastado para honrarnos decidieron castigarnos de acuerdo con el dispendio. Por suerte, Crisis, que intervenía en todas estas maquinaciones, me advirtió de los propósitos de los crotoniatas y, al saberlos, me entró tal miedo que decidí fugarme con Giton y abandonar a Eumolpo a su suerte. Supe al cabo de unos días que los de Crotona, indignados de que aquel viejo astuto hubiera vivido a sus expensas como un príncipe durante tanto tiempo, decidieron matarlo según la costumbre de Masilia. Para que lo comprendáis bien, sabed que siempre que esa ciudad se ve asolada por la peste, se sacrifica a uno de sus habitantes, en bien de todos, con la condición de que durante todo un año se le mantiene y se le trata como si fuera un rey. Concluido el plazo, se le hace recorrer la ciudad, con ropas sagradas y coronado de verbena, para que le escarnezcan todos los habitantes de modo que caigan sobre él las iras celestes que se descargaron sobre el vecindario y luego se le arroja al mar, desde lo alto de una roca.